文春文庫

「少年A」この子を生んで……

父と母 悔恨の手記

「少年A」の父母

文藝春秋

目次

神戸連続児童殺傷事件について
——両親の手記を刊行するに当たって 9
一章　被害者とそのご家族の皆様へ〈父の手記〉 21
二章　息子が「酒鬼薔薇聖斗」だと知ったとき〈母の手記〉 25
三章　逮捕前後の息子Aと私達〈父の日記と手記〉 53
Ⅰ　逮捕された息子A 54
Ⅱ　逮捕後、家族の漂流の日々 80
Ⅲ　淳君の行方不明と私達 117

四章　小学校までの息子Ａ〈母の育児日誌と手記〉　131
Ⅰ　初めての子Ａの誕生　132
Ⅱ　Ａの日常と躾　144
五章　中学校に入ってからのＡ〈母の手記〉　183
Ⅰ　気付かなかった「前兆」　184
Ⅱ　不登校、そして忌まわしい事件が……　210
六章　Ａの「精神鑑定書」を読み終えて〈母の手記〉　243
＊Ａが母の日のプレゼントに描いた「母親の花嫁姿」　11
読者の皆様へ——文庫版に寄せて　273

「少年A」この子を生んで……

父と母　悔恨の手記

神戸連続児童殺傷事件について
――両親の手記を刊行するに当たって

ここに、画用紙の切れ端に描かれた一枚の絵がある。

「1996・5・11」と日付の記されたその絵では、A少年の母親が、ウエディングドレス姿でブーケを持ち、やや緊張した面持ちで正面を見据《みす》え立っている。「母さん、これ」と、A少年がぶっきらぼうに手渡した、母の日の母親へのプレゼントだった（11、200頁参照）。

ドレスやブーケを描いている滑らかな曲線、表情をくっきり浮かび上がらせる大きな目と鼻の輪郭など、すべて鉛筆の濃淡で描かれている若き日の母親の花嫁姿――それはA少年が、一九八〇年に結婚した両親の結婚式で撮ったスナップを引っぱり出し、しばらく眺めた後、自分のマンガ用画用紙の裏に描いたスケッチで、「直観像素質者《ちょっかんぞうそしつしゃ》」（253頁参照）といわれるA少年の脳裏に、瞬間的に焼きついた像だった。

母親はこのプレゼントが嬉しくて、台所の冷蔵庫の扉にずっと貼ってきた。一家が神戸市友が丘の自宅を追われるように出た日まで……。

このプレゼントの日からほぼ一年後、あの凄惨な土師淳《はせじゅん》君殺害事件は起こった。

「さあ ゲームの始まりです 愚鈍な警察諸君 ボクを止めてみたまえ ボクは殺しが愉快でたまらない」――。

一九九七年五月二十七日、ナチスの鉤十字《かぎじゅうじ》もどきのマークとともに記された「挑戦状」とともに、土師淳君の遺体の頭部が神戸市須磨区の友が丘中学の正門で発見され、日本中がその事件の異様さに衝撃を受けた。

そして六月、A少年は捜査の攪乱《かくらん》を狙って、大胆不敵な次なる「犯行声明文」を神戸新聞社に送りつける。

「透明な存在であり続けるボクを、せめてあなた達の空想の中でだけでも実在の人間として認めて頂きたいのである。(中略) 今となっても何故ボクが殺しが好きなのかは分からない。(中略) 殺しをしている時だけは日頃の憎悪から解放され、安らぎを得る事ができる」

「酒鬼薔薇聖斗《さかきばらせいと》」と名乗った少年は、饒舌《じょうぜつ》に自己を主張した。

それ以前にも一九九七年二月十日、通りすがりの小学生の女の子二人をショックハンマーで殴って怪我《けが》を負わせ、翌月の十六日にも近所の小学生・山下彩花《あやか》さんをショックハンマーで殴り、殺害。同じ日に、もう一人の女児をナイフで刺すなど、連続通り魔事件を起こし、その凶行をノートに「人間の壊れやすさを確かめるための『聖なる実験』をしました」と書き記していた。

六月二十八日、A少年はついに兵庫県警に逮捕されるが、少年は警察、弁護士、精神鑑定医らを相手に、録音テープのように淡々と、その殺害状況を繰り返し繰

Aが母の日のプレゼントに描いた「母親の花嫁姿」

り返し語った。

「少年は不気味なほど、落ち着いていた。少年との会話はまるで死んだ人間と話をしているように冷ややかな感触だった」（家裁関係者）

A少年は、被害者のことを「僕が殺した死体であり、僕の作品」と呼び、その遺体を切り裂き、血を飲んだことを、「その理由は『僕の血は汚れているので、純粋な子供の血を飲めば、その汚れた血が清められる』と思ったからでした」（検事調書より）と告白した。

被害者の遺体の頭部を校門に置いた時の心境を「その間、僕は学校の正門前に首が生えているというような『ちょっと不思議な映像だな』と思って見ていたのです。（中略）しばらくはこの不可思議な映像は僕が作ったのだという満足感に浸りました」と澱《よど》みなく語っている。

「僕は二月十日に、何の理由もなく、またきっかけもない女の子ふたりのそれぞれの頭をショックハンマーで殴り付けたことから、僕は到底《とうてい》越えることが出来ないと思っていた一線を越えたのです。

越えることのできない一線とは、人の道ということです。

その道を踏み外《はず》したことから、僕にとって理性とか良心というものの大半をその時落としてしまいました。

それからというもの、一旦《いったん》人の道を踏み外したら、後は何をやっても構わないと思うようになり、人の死を理解して、僕のものにしたいという、僕の欲望を抑えることが出来なくなってしまいました」（検事調書より）

少年は精神鑑定の結果、「年齢相応の普通の知能を有し、意識も清明《せいめい》である。精神病ではなく、それを疑わせる症状もないのであって（中略）、成人の刑事事件にいう心神耗弱《しんしんこうじゃく》の状況にあったとまでは言えない」と判定された。

つまり少年は、正気のままで被害者を次々に惨殺したのである。

理由なき殺人――。

少年犯罪史上最も凶悪な犯行であり、その十四歳の肖像はマスメディアというフィルターを通しモンスターと化し、日本中を震撼《しんかん》させた。

少年自身も、「懲役13年」という作文の中で、「かつて自分だったモノの鬼神のごとき『絶対零度の狂気』を感じさせるのである。とうてい、反論こそすれ抵抗などできようはずもない」と書き記している。

どうしたら、十四歳の少年の心はここまで固く狂気で凍りつくのか？

彼は一体、何者なのか？

この少年は、親にどのように育てられ、ここまでに成長したのか？

日本中の子供を持つ親が震え上がり、マスメディアはこぞって親の責任を世に厳しく問いかけた。

この事件はまた、犯人であるA少年がまだ十四歳で、不備が多く指摘されていたわが国の少年法の保護下にあるため、真相はベールに包まれてしまい、無責任なデマやメディアの勝手な憶測、推理がたれ流されて、結果的に被害者やその家族の方々を深く傷つけたりもした。

しかし、その膨大な情報の中にも、未だ「答え」は見つかっていない。

A少年が東京・府中の関東医療少年院に送致《そうち》された九七年十月半ばより、私達は事件の答えを探すべく、両親に接触を図り、何度もインタビューをお願いしてきた。

しかし、その答えはいつも「否」だった。両親は「自分達に事件を語る資格がない」と言うのである。また、マスコミに対する極度の不信感と恐怖心にも由来しているようだった。事件後、A少年の二人の弟が転校した学校、その居住場所が、関係者の懸命な努力でマスコミに分からぬように確保されていたにもかかわらず、インタビューでメディアが過熱すれば、再び弟達の学校生活が脅かされ、さらには善意から世話をしてくれている人々にも迷惑がかかることになる、という心配からだった。

しかし、真実の一かけらでもいい、A少年の家庭では何があったのか——その事実を知りたかった。

なぜ正気であるはずの少年が、理由もなく人を次々と殺傷したのか？

A少年を取り巻く家族環境のどこに問題点があったのか？

「問題があった」と審判で指摘されたA少年と母親との関係は、本当はどのようなものだったのか？

両親は息子をどう育てたのか？

両親は息子に愛情を持っていなかったのか？……等々。

両親は、事件により尊い命を失った被害者の家族の方々のためにも語るべきであり、その義務があるのではないか、と。

だが、相変わらずいくつかの事情が、両親をして、インタビューに応ずることや被害者のご家族への謝罪の行動について著しく臆病《おくびょう》にさせていた。

その一つはメディアによる暴風のような取材だった。引っ越し後も、仮住まいの両親はともかく、罪のない弟達の学校周辺にまで取材は及んだ。インタビューに応じることで両親が顔や名前を公表すれば、弟達の転校先の周辺にも家族の身許が分かってしまう。また、一章以下の手記でも触れているように、両親はなかなかA少年に接触できず、本人に直接会って確かめるまでは、犯人とは認めたくないと考えていたことも、被害者のご家族への謝罪の行動を遅らせ、インタビューを躊躇《ちゅうちょ》する背景にあったようだ。

一九九八年八月二十六日、土師淳君のご両親は、関東医療少年院にいるA少年と両親を相手取り、一億四百万円の損害賠償訴訟を神戸地方裁判所に起こされた。土師氏側の代理人の弁護士は、「責任と償《つぐな》いを明確にし、事件の背景を明らかにしたい。両親は、親権者として少年の異常な行動をエスカレートさせないように規制し、犯行を未然に防止すべき注意義務があったのに、それを怠《おこた》った」というコメントを発表。A少年の両親はこの訴えを全て認めた。

その後、両親は和解交渉に入ったが、A少年の両親側が提示した賠償金の分割による支払い方法などが折り合わず、交渉は不調に終わり、九九年三月十一日に神戸地裁は、土師氏側の訴えの全額を認める判決を言い渡した。

しかし、土師氏側が被害者の「知る権利」として強く要求したA少年の審判記録の開示は、A少年の両親側の代理人も「(開示には)協力していく姿勢に変わりはない」と協力的だったにもかかわらず、裁判所の判断でついに実現せず、「今後、審判資料の閲覧ができることを期待したい」(土師氏)と、課題を残すことなった。

土師氏は昨年、手記『淳』（新潮社刊）を発表され、わが子の無念の死への怒り、A少年の両親に対し、「逮捕前から息子の犯行を知っていたのではないか」という強い不信感を持っていたことなどを訴えられた。これはもっともなご主張であり、私達も長い間、数多くの疑問を抱いてきた。

同時に土師氏は、「報道の自由」の下で繰り返されるマスメディアの身勝手な横暴やわが国の少年法の矛盾と不備を、被害者の立場から世に問われた。

そして、この「少年A事件」を機に、わが国の少年法は五十年ぶりに改正案が国会に提出され、これまで無視されてきた被害者側への事件に関する情報の開示などが論議されている。（注）

A少年の両親はこのような改革の流れと、今回の訴訟で果たされなかった被害者側の「知る権利」に答えるべく、迷いを振り払い、この手記の出版を決意したのである。

土師氏の不信感に対する「答え」も、この中には含まれている。

A少年の両親を語る上で、ある興味深いエピソードを、私達はこの間に得ている。

A少年の友が丘の自宅の斜め向かいの家の樋《とい》には、いつも石がたくさん詰まっていたそうである。これはA少年が、塀に上っている猫を目掛けて投げつけたものが、隣家の樋に溜まったものだった。

近所の人は皆、A少年の家から隣家へ石が飛ぶのを見ており、少年が投げたものであることにウスウス気付いていた。

しかし、当のA少年の母親は、そんなこととは露知らずに「お宅の樋に石が溜まっていますよ」と隣人に報《しら》せ、自宅の二階に案内し、そこから現場を見せて注意を促《うなが》したという。

まさか自分の息子のやったこととは気付かずに、親切心から……。

「私達は、事件について隠すことは何もありません。もう失う物もありません。嘘をつく必要がどこにあるでしょうか」

両親はこう語っている。

本書は「少年A事件」とA少年の十四年(事件後を含めると十六年)の軌跡を両親側から綴った、もう一つの『真実』である。

＊

ここでは名前を伏せさせていただきますが、本書出版に際して様々な批判にさらされながらも最後まで勇気を持ってご助力下さった方々へ、心より感謝申し上げます。

＊

なお、被害者の土師淳君、山下彩花さんのお二方のお名前に限り、すでにご両親がそれぞれのご著書で実名を表示して公刊されていますので、本書の中でも実名で登場させていただきました。

最後になりましたが、この事件により尊い命を失われた土師淳君と山下彩花さんのご冥福《めいふく》を心よりお祈りいたします。

（一九九九年三月）

（注）改正少年法は二〇〇〇年十一月末に成立。二〇〇一年四月より、刑事処分適用年齢の十六歳から十四歳への引き下げ、家裁が被害者に事件の意見聴取、審判結果の通知を行い、記録の開示等を認めること、十六歳以上の故意犯による死亡事件は検察官送致され、刑事裁判を受けること（保護処分が適当な場合を除き）等が改正された。

一章　被害者とそのご家族の皆様へ　〈父の手記〉

息子Aによって尊い命を奪われた土師淳君、山下彩花さんのご冥福を心からお祈りいたします。またAによる連続通り魔事件でお怪我《けが》をなされたお嬢さま方の心が、一日も早く回復されることをお祈りいたします。

息子の凶行で大切なお子様を亡くされた土師様、山下様をはじめ被害者のご家族の皆様、本当に申し訳ございません。皆様のお悲しみ、お怒りは、私達夫婦も三人の子を持つ親として身に染みて感じております。たとえお許しいただけなくとも、私達の一生をかけて、どのように償《つぐな》いをしていけばよいのかを自問自答しつつ、日々を送っております。

死んでお詫びする勇気もなく、情けない私達。その至らなさで、お詫びを申し上げるのが大変に遅れ、本当に申し訳ございませんでした。

不甲斐《ふがい》なさ、不作法《ぶさほう》、ご批判は重々覚悟しております。

また、今回の事件で地域、特に近隣の皆様には、多大なるご迷惑をおかけして申し訳ございませんでした。

お詫びもしないまま、事件以降姿を隠してしまった私達の臆病《おくびょう》さ、身勝手さを悔やむ毎日です。この場をお借りし、改めて心よりお詫びいたします。

私達親の未熟さ、監督不行き届きゆえに、息子をあのような行為に走らせ、恐ろしい事件を起こすに至りました。日本中の皆様に心よりお詫び申し上げます。

私達家族は、弁護士の先生方はじめ、友人、知人などいろいろな方々からの励ましのお手紙や心温まるご支援を賜り、今日まで何とか持ちこたえ、生き長らえてまいりました。

また、会社の上司はじめ職場の仲間の皆様のお蔭で、私も職場復帰することもでき、様々な方々のご助力で、Aの下の弟達二人も今では普通どおり学校へ通うことがかなない、私達家族の生活も少しずつ落ち着きを取り戻しているところです。

これもひとえに皆様の温かいお気持ちのお蔭と、心より感謝申し上げます。

息子Aをあのようにしてしまった不甲斐ない私達の、十四年にわたるAとの暮らしのありのままを綴ることで、「真実を知りたい」という被害者のご家族の方々のお気持ちに多少なりともお答えすることができ、前向きな何かが生まれればという願いを込め、拙《つたな》い文ではありますが、本書を書きました。そして、この本の印税の全ては、被害者の方々への償いの一部にさせていただく所存です。

どんなことをしても、大切なお子様を失われた、あるいは傷つけられた深いお悲しみ、お怒りは決して贖《あがな》えるものでもなく、永遠に許されることもないことは重々承知しております。

それでもせめて、Aの親として、今後一生かけて、私達にできる精一杯の償いをさせて頂ければという切なる思いを込めて、本書を被害者とそのご家族の皆様に捧げます。

二章　息子が「酒鬼薔薇聖斗」だと知ったとき〈母の手記〉

Ａ少年は一九九七年六月二十八日の逮捕以降、両親に会うことを一貫して拒否していたため、神戸家裁で行なわれる第二回審判直前の九月中旬（第一回は八月四日に開かれたが、精神鑑定のため二カ月間、中断されていた）、両親は連絡なしに、息子が送致されている神戸少年鑑別所を訪れた。

これまで涙ひとつ見せず、県警捜査員、家裁調査官、精神鑑定人らを相手に、終始冷静沈着に証言をしていた少年が、この日両親の姿を見るや、泣き叫んで激昂し、ひどく取り乱した。「酒鬼薔薇聖斗」から十五歳（この時点では）の少年に戻った一瞬だった。

「帰れ、ブタ野郎」

一九九七年九月十八日、私たち夫婦が六月二十八日の逮捕以来、初めて神戸少年鑑別所に収容された長男Ａに面会に行ったとき、まず息子から浴びせられたのがこの言葉でした。

「誰が何と言おうと、Ａはお父さんとお母さんの子供やから、家族五人で頑張って行こうな」と、夫が声をかけたそのとき、私たち二人はこう怒鳴《どな》られたのです。

鉄格子の付いた重い鉄の扉の奥の、青のペンキが剝《は》げかかって緑に変色したような壁に囲まれた、狭い正方形の面談室。並べてあったパイプ椅子に座り、テーブルを挟んでＡと向かい合いました。あの子は最初、身じろぎもせずこちらに顔を向けたまま、ジーッと黙って椅子に腰掛けていました。

しかし、私たちが声をかけたとたん、

「帰れーっ」

「会わないと言ったのに、何で来やがったんや」

火が付いたように怒鳴り出しました。

そして、これまで一度として見せたこともない、すごい形相《ぎょうそう》で私たちを睨《にら》みつけました。

〈あの子のあの目――〉

涙をいっぱいに溜め、グーッと上目使いで、心底から私たちを憎んでいるという目――。

あまりのショックと驚きで、私は一瞬、金縛《かなしば》りに遭《あ》ったように体が強張《こわば》ってしまいました。

〈なんて顔をするんやろう〉

ギョロッと目を剝《む》いた、人間じゃないような顔と言うのでしょうか。あのような怒りを露《あらわ》にし、興奮した息子を見るのは、Aを生んでから初めてのことでした。

私は息子の目から自分の目を逸《そ》らさないで、顔をジーッとただ見詰めていたのですが、あの子の目からは結局、親である私たちを拒否し心底から憎んでいると思わせる、憎しみに満ちた怒りのようなものしか感じられませんでした。

こうして今振り返っても、やはりそうとしか受け取れません。

〈A、どないしたん？ 何をそんなに怒っているの？〉

そう語りかけたかったのですが、もう言葉にもなりませんでした。

Aは睨みつけながらも、涙をボロボロこぼして泣いていたので、私は「これ」とハンカチを渡そうとしました。

「よけいなことしないでくれ」

その手は、Aにパーンと激しく払い退《の》けられてしまいました。

十五分ほど私たちは顔を向き合わせていたのですが、最後まで「帰れっ」とAに怒鳴られ、睨まれ続けていました。

この子は私のせいで、こんなことになってしまったのではないか？

Ａは目で私にそう抗議している。

〈私のせいなんや……〉

今、冷静になっても、そう考えざるを得ません。そういう目でした。

どこか自分が知らないところで、気付かないうちに、私自身が息子を追い込んで行ったのではないか？　あの日以来、そういう意識がずっと心の奥に引っ掛かっています。

あの憎しみに満ちた形相は今でも忘れられず、その後ずっと脳裏に焼きついています。

私たち親は正直言って、この時点まで、息子があの恐ろしい事件を起こした犯人とは、とても考えられませんでした。どうしても納得することができませんでした。

あの子の口から真実を聞くまでは、信じられない。きっと何かの間違いに違いない。

いや、間違いであってほしい。たとえその確率が、０・１パーセント、いえ０・０１パーセントでもいい。その可能性を信じたいという、藁《わら》にも縋《すが》る思いで、その日鑑別所の面談室を訪ねたのです。

あの六月二十八日早朝に、突然Ａが警察に連行されて以来この日まで、私たちは一度もＡ本人に会えなかったので、Ａ本人と直《じか》に話して、事件の真相を確かめることすらできませんでした。

「会いたい」と警察に何度かお願いしていたのですが、最初の頃は、留置されている須磨署が報道陣だらけでとても無理だと断られ、その後も弁護士さんを通して面会をお願いしたのですが、今度はA自身から拒否され続けてきました。

でもいつかは、A本人から「会いたい、父さん、母さん、助けてくれ。ここから出して。罪を晴らしてくれ」と言ってくるだろうと思って、毎日連絡を待っていました。

しかし、何も言ってきませんでした。

警察の方や検事さんに、私自身も調書を取られるたび、

「Aは私に会いたいと言っていませんか?」

と様子を尋ねていました。

「いや、ご両親には会いたくないと話しています」

いつも、そう返事が返ってきました。

〈おかしい。そんなはずない。なぜ息子は、私に会いたがらないのだろう。Aが学校で起こしたトラブルの後始末は、たいてい私がしてきた。よくあの子を学校に迎えに行っていたのも、私だった。こんな大変なことになって、きっと私に助けを求めてくるはずだ〉

そう思っていたのに、何の連絡もありません。ただ不思議でした。

待てど暮らせど、いっこうに連絡がありません。

接見した弁護士さんに聞いても、返って来るのは同じ答えでした。

「母さん、これ絶対僕と違う」とあの子が言えば、恐らく私はその言葉を信じていたと思います。親であれば子供を最後まで信じてやりたい。

今になってみると、愚《おろ》かで浅はかだったかもしれません。でも人の親なら、誰でもそう思うのではないかと思います。そして、Aが「自分はやっていない」と言ったなら、その証拠集めや証明のため、私たち夫婦は奔走したでしょう。

〈なんであの子は何も言って来ないの。あの子の『僕じゃない』というひと言があれば、私は動くのに。こんな風に隠れていないで、押し寄せてくる新聞やTVや雑誌のカメラマンたちに写真を撮られても、表へ出て、たとえ近所の人々に親バカと罵《のの》しられても、事件のことを調べ回り、〝無実〟を証明するために駆けまわるのに……。なぜだろう、なぜ……〉

結局、最後までAは、自分から私たちに会いたいとは、言ってきませんでした。

恐らくその答えが、憎しみに満ちたあの子の目だったのでしょう。

夫と二人で会った二日後、鑑別所の管理官から電話で連絡がありました。Aが「お母さんに会ってもいい」と言っているというので、私だけがもう一度、一人で神戸少年鑑別所を訪ねました。

前と同じ面談室で待っていたAは、前よりもいくぶん落ち着きを取り戻した様子でした。

「こないだは、あんなことを言うてゴメン。悪かった」

泣きながら、素直に謝ってきました。

あの子がボロボロと涙を流すので、私はまたハンカチを差し出しました。今度も払い退けられるかもしれないと、一瞬思いながらでした。

するとAは黙って受け取って、そのハンカチで涙を拭いてくれました。

でも、その後の出来事――私とあの子とのやりとりの詳細は、あまりのショックのために頭の中がパッと真っ白になってしまって、実は今も鮮明に思い出すことが出来ません。

あの日のことをいくら詳しく思い出そうとしても、途切《とぎ》れ途切れにしか思い出すことが出来ません。

面談を終えてAが部屋を出て行った後、一人で長い長い間泣いていた記憶しか、どうしても思い出せないのです。

その日、Aは喋《しゃべ》りたそうだったので、三十分ほど話をしました。

Aがあの事件の犯人とは、その場でもとても私は思えませんでしたが、会話の流れで「命についての話」になったと思います。「人を殺したらいけない」というのは当たり前の話で、私はそのときAも、当然分かっているものとして話していました。

私たち夫婦は十四年間、ずっと世間並みにあの子に「人の命の尊さ」を教えて来たつもりでした。

でも、話しているうちにAが、人間や人の命の大切さ、尊さについてまるで理解していないこと、その当たり前のことに対する感覚がズレていることに、ハッと気付かされたのです。

「え？　ちょっと待ち、A。何ということを言ってるの？」

私は驚き、正そうとして「それ違うよ。命というものはね」と、例を挙げて説明しようとすると、あの子はさもうるさそうに遮《さえぎ》って、こう言いました。

「母さん、そういう考え方間違っているわ。僕はそう思わん」

そして「人間に限らず生き物はいつかは皆、死ぬんや。人の命かて蟻《あり》やゴキブリの命と同じや……」――そのような意味のことを、Aが言っていたのではないかと思います。

けれども、もうその後のことはよく覚えていません。ただ、言葉では言い表せないようなショックに打ちのめされて、頭の中が真っ白になってしまい、記憶のどこかにポッカリと穴が開いてしまったようなのです。

〈この子はこれまで、そして今も、人の命についてこんな風に考えていたんやろか？〉

私は何を喋ったか覚えていませんが、必死で分からせようとしました。

「母さん、それは間違ってるよ。命の大切さなんて、僕は分からへんわ」

Aはまた、さも冷静に言い放ちました。

耳を疑うようなAの言葉に、

〈えっ？　なぜ？　違う？　この子、どこかおかしい。やはり変や。この子は何を言うてるのやろ？　なぜ、こんなことを堂々と言えるのやろ？〉

カッと全身の血が逆流するような衝撃を受け、記憶がパーッと真っ白になりました。

錯乱《さくらん》した頭のままで、事件についてもいくつか質問をしたように記憶します。

「母さん、知らん方が幸せなこともあるやろう」

Aは答えました。

「何言うてるの、A。親として子供のことはいいことも悪いことも全部知っておきたい。いいことはすぐ親の私には伝わるけど、悪いことはなかなか聞けへんから、お母さんはいいことより、Aの悪いことを知っておきたいんやで」

私は言いましたが、Aは「ふーん」とだけ言って、それ以上何も喋りませんでした。前に見せたようなすさまじい形相や、憎しみに満ちた目ではなく、そのときのAは淡々と話し、感情のない空《うつ》ろな目で、顔に表情がありませんでした。

私はその瞬間まで、息子Aを〈普通の感覚ではない。異常や〉と思ったことは一度もありませんでした。ですが、このとき初めて〈Aはどこかおかしい、異常や。矯正《きょうせい》しないと……。この子、一体、どうなってるんやろ〉と自覚せざるを得ませんでした。〈ここまで、息子が抱えている異常さが深刻だったとは……。今頃、今頃になって気付くなんて……〉

と、親としての認識の甘さを痛感させられました。

情けないことですが、世間の方々から、「親なのに、事件が起きてから初めて息子の異常な言動に気付くようでは遅すぎる」と非難されても仕方ありません。

私は子供たちの世話をするために、結婚してからずっと専業主婦できました。働くよりも節約をし、その分子供が帰ってくる時間にはなるべく家にいてあげよう。勉強なんか出来なくてもいい（実際、Aは昔から勉強嫌いで、成績には無頓着でした）。でも、それでいい。社会に適応できる、世間に出して恥ずかしくない人間になってくれさえすれば、それでいいではないか、そう思ってきました。

その結果が何ということでしょう……。

今まで親として何をやっていたのか？　息子の何を見ていたのか？

私も自分が当事者ではなく、一般の人と同じ立場で、テレビや新聞でニュースとして見ていたなら、同じように考えたと思います。

親のくせに、気付かないなんて絶対おかしい。親の不注意で、子供がこうなったに違いない、と。

あるいは、子供に無関心で放ったらかしていたか、今時の親らしく、きっと教育ママで、スケジュールを一杯詰め込んで遊ぶ暇も与えず、子供をがんじがらめにしていたか、そのどちらかの結果、こんな事件が起こったのだ。そんな環境の家庭なら無理もない、と——きっとテレビを見ながら、そう考えていたでしょう。

でも、私はどちらのケースにも当てはまらない、と自分では思っていました。

三人の息子のことを、いつも考えているつもりでした。

人一倍、子供のことについては気を付けているつもりでした。次男のPTAの役員かもしていましたし、Aのことではよく学校から呼び出され、お詫びなどをしに走り回り、学校の先生とも話す機会が多かったと思います。子供が何かしたら、全部一緒にフォローできる態勢はいつも取っておこうと常に考え、そうしてきたつもりでもいました。

「Aは厳しく躾《しつけ》られ、親の愛に飢えていた」とジャーナリストや心理学者、裁判官の方々は、口を揃えて言われましたが、私はむしろ、息子に構いすぎ甘かったために、あの子をあんなにしたのかもしれないと、今は正直思っています。

あの子にあれ以上、どう接すればよかったのか？

親としての子供への愛情とは一体、何なのか？

どういう具合に愛情を伝えればよかったのか？

私は何もかも分からなくなりました。自信も消し飛んでしまい、混乱し、毎日毎日、自分が情けなく悔《くや》しく、どこでどうあの子の育て方を間違えたのか、とそのことばかり自問自答を繰り返しているばかりです。

でも現実として、こんな最悪の結果だけが、私の目の前にあります。

起こってみるまで、本当に自分の子供が分かりませんでした。恥ずかしい話かもしれませんが、表に感情が現れず態度に出ない子は、分からないというのが今の気持ちです。

例えば、茶髪にピアスとか、暴走族グループに入るとか、集団でさぼったり喧嘩をしたりとか、表面から見えることで発散してくれたなら、その方が逆に親からも判別がつくし、いいかもしれません。それぐらいのことで済むなら、まだいい。あの子のように、あんな酷《むご》い、人間としてとうてい許せない行為をしでかしてしまうところまでいくよりは……。

でも私の知っていたAは、親バカかもしれませんが、人に必要以上に気を遣うなど、繊細でやさしいところのある子でした。すぐ人を信じて傷つきやすく、臆病で純粋すぎる。根がバカ正直なので、学校でも先生に思ったことをそのまま言うなど、不器用で心配になる部分があるほどでした。

Aの審判がすべて終了した後、弁護士の先生方がAと事件について話したことが書かれた接見メモを、読ませていただきました。そしてまた、子供に裏切られたような気持ちになり、愕然とし、自分の無力さを感じずにはいられませんでした。

メモに書かれているAは、私たちが思い描いていた息子とは違っていました。あの子が私たちに話していなかった猫の惨殺の話があったり、同級生に対する暴力などの説明が、以前私たちに話したのとはまったく違う箇所が、いくつもあったからです。

私たちは、あの子に見透《みす》かされて、これまでずっと騙《だま》され続けていたとしか思えなかったのでした。

「私はずっと子供を見ていたつもりですけど、騙され続けていたのでしょうか？　あの年頃で子供が親を完全に騙す、そんなことが出来るのでしょうか？」

弁護士の先生に何度も何度も尋ねました。

先生はこう言われました。

「お母さん、残念ですが、そういう例はたくさんありますよ」

でもあの子には、確かに確かにおとなしく純粋なところがありました。

それなのに、そのAが幼い被害者の方々の命を残酷に奪った。しかも、あんな酷い、酷いやり方で……。

私には分かりませんでした。あんな恐ろしい犯罪は想像も出来ませんでした。

子供が、目に見える酷い事件という最悪の形を起こすまで、私には分からなかった。

子供の危険な兆候を察知するのは、理屈ではなく本当に難しいことだと思い知らされました。

Ａは犯行声明文で、「愚鈍な警察諸君、ボクを止めてみたまえ」と揶揄《やゆ》していましたが、「愚鈍」とは、私たちのことでした。子供を信じるあまり、愚鈍過ぎたのです。

しかし、もしもどこかで私たちが気が付いていれば、立て続けに起こった事件の一件でも止められたかもしれません。あの子の異常とも言える内面に気付いていれば、病院に入院させるなり、警察に引っ張って連れて行くなり、何らかの行動を必ず取ったでしょう。

しかし、分からなかったで済む問題ではありません。

被害者の方々には、ただただ申し訳ございませんでした。申し訳ない、とお詫びすることしかできません。謝って済む問題ではないことは、重々承知しておりますが、ただ申し訳ないと思います。

息子の深刻な問題に、何ひとつ親として気付きませんでした。息子にあんなに恐ろしい、もうひとつの側面があったとは、私たちは想像もできませんでした。

でも、知らなかった、気付かなかったでは、親としての存在価値もなく、惨《みじ》めで無責任過ぎることは自覚しております。

でも、あの子が口では言えないような、あんなに酷い酷いことをやりながら、平然と私の前にこうして無表情で座っている、そのことが私には信じられませんでした。

〈自分の子なのに……〉

私の知っているあの子じゃない。そのときは人を殺すという、重罪を犯してしまった殺人犯であるという自覚もできず、ただ、この子は二重人格なのかなどという稚拙な考えしか頭に浮かびませんでした。

〈違う、Aじゃない。誰かよその子ではないか？　この子は明らかに感覚がおかしい〉

しかし、目の前に無表情で座っているのは、紛れもなく私の長男Aでした。

あの子は淡々と私にこうも言いました。

「僕は病気やと思うから、母さんに全然責任ないから……。変な病気や」

〈Aは普通の状態ではない。この子はどこかで、何かが壊れてしまっている〉

私は呆然としながらも、そのことだけは、必死で理解しようとしていました。

Aは私の生んだ子供です。だから、やはり私の、母親である私の責任だと思います。あの子の母親はこの世でただ一人、私しかいないのですから。

面談室の外で待っている調査官に、面会の内容を報告しなければならないのですが、頭が混乱して、ほとんど喋ることが出来ませんでした。

「こんなことになるくらいなら、いっそ私を殺してくれたらよかったのに。まだ、その方が余所《よそ》のお子さんを手にかけるより、そうしてくれた方がよっぽどよっぽどよかった」

そんなことを口走ったのではないかと思います。

後に、家裁の調査官から聞いたのか、報道で知ったのかハッキリ覚えていませんが、私と面会した後Aが、

「母さんには、僕のこと分かってほしかった。間違っているかもしれないけど、分かってほしかった」

と話したということを知りました。

私はAを分かっていた——。いえ、理解しているつもりでした。

あの子には、いい面も、悪い面もある。でも、私にはやさしい子で、私はAのよさを誰よりも分かっているつもりでした。

けれど、あの子の悪い面が人を殺《あや》めるまでとは……、とても想像も理解もできませんでした。

私は別れ際に、透明な藤色のプラスチックの数珠《じゅず》を、Aに差し入れました。

Aに「数珠いる？」と尋ねると、「うん」と言ってくれました。

本当は手渡したハンカチも、Aがほしいと家裁の係官に言ったので、それも一緒に差し入れようと思ったのですが、ハンカチは自殺の道具になる恐れがあるからダメと言われ、

「分かりました。じゃ、数珠だけお願いします」

と手渡したのです。

それは干支《えと》の飾りが付いたもので、深い意味もなく、持っていると多少でもAの気が落ち着くかもしれないし、お守り代わりになると思い、あの子の生まれた干支の犬の飾り付きの数珠を予《あらかじ》め買っておき、ハンドバッグに入れて持って行ったのです。

なぜ、数珠にしたのかと言いますと、Aが不登校を起こすゴールデンウィーク前、急に、

「おばあちゃんのお墓参りに行きたい。数珠がほしい」

と珍しく自分から言い出したのを思い出したからでした。

数珠なんて珍しいモノをほしがるな、そんなモノが今、学校でも流行《はや》っているのかしら、などと思いつつ、「近いうちに、一緒にお墓参りに行こうな」と、Aと話していました。

結局墓参りには行けずじまいでしたが、逮捕後にその数珠のことを思い出し、面会の時に持って行ったのでした。

でも、その数珠も何の役にも立たず、意味もなかったことを後に思い知らされました。

一九九七年十月九日の第三回審判、十七日の第五回審判（終了）が行なわれたとき、私たち夫婦も裁判所に呼ばれて出席し、またAと顔を合わすことができました。

そのとき、Aが数珠を手にしていたと、ほとんどの新聞やテレビが報道していましたが、私には、Aが数珠を持っていた記憶がありませんでした。

あれ、あの子、数珠をしていないと知ったとき、本当にガクッと落胆したものでした。

〈ああ、この子はやっぱり私たちを受け付けてない。話を聞き入れてくれていない〉

家裁の係官に聞くと、数珠は鑑別所の部屋に置きっ放しだったそうです。

でも、〈まあ仕方ない。本人が持つ気になるまではどうしようもない。待つしかない〉と思い直して、審判に臨みました。

それでも久しぶりにAの姿だけでも見られると淡《あわ》い期待を持って、私たちはあの子のすぐ後ろの席に座りましたが、結局は再び打ちのめされてしまいました。

頭は丸がりで、グレーがかったブルーの鑑別所の制服姿のAは、こざっぱりしていて、いくぶん元気そうに見えましたが、顔つきは前にも増して無表情でした。

審判は裁判長を真ん中にし、弁護士さん、調査官、書記官、鑑別所の係の方が左右に別れて座り、後ろの席にAと私たちが着席し、証言をする時だけ、部屋の中央にある席に行って証言をする形で行なわれました。

私たちはＡの背後にいたので、Ａの表情は証言するときにしか見られませんでした。あの子が証言席に赴いたとき、私は縋るような思いであの子の顔を見詰めていましたが、その顔にはまったく表情がありませんでした。あの子は、ボーッと私たちを見たかと思うと、すぐにスーッと視線を逸らせてしまうのです。まるで生きた人形みたいで、感情が見られません。

それは〈審判なんて、早く終わればいいのに〉と言いたげな態度でした。

私たちは、法廷は初めてだったので、どうしていいか分からず戸惑《とまど》っていましたが、とにかく裁判長の質問には、自分の思うことをキチンと言葉にして答えようと、証言席で泣きながらも一生懸命に話しました。

「私は物事を白黒どちらかハッキリさせなければ気が済まない性格でしたが、今後は子供については他の方々の意見も聞いて、自分の考え方を変えていきたいと思います。もっとゆとりをもって子供に接せられるようにしたい。いつかＡを立ち直らせ、親としてキチンと被害者にお詫びをし、Ａに償いをさせたい」と。

その後、裁判長がＡに「何か言うことありませんか」という趣旨のことを質問されました。

「取り調べ期間が長くて疲れた。疲れました」

Ａは、そんなトンチンカンなことを答えていたように思います。

「親御さんの姿を見て何か感じることありますか？」

とも裁判長は質問されていました。

「何も感じません。僕は疲れた。審判はもっと短くならないのですか？」

あの子はいかにも面倒臭そうに、無表情のまま答えていました。

そして、「社会復帰したいと思いますか？」という裁判官の質問については、

「ここを出たくない」

「ではどうするつもりですか？」

「このまま静かな所で一人で死にたい。家には帰りたくない」

そのやり取りを目《ま》のあたりにして、もう涙も涸《か》れるというのでしょうか、私はショックで呆然とするばかりでした。

〈なぜ、あんな酷い事件を起こし、裁かれながら、Aはこのように平気でいられるのか？

私たちが泣いている姿を見ても無表情でいられるのか？

家で私たちと一緒にいたAと全然、違う。

事件を起こして人格がガラリと変わってしまったのだろうか？　完全、完璧に。

現実にこんなことがあり得るのだろうか？

これが私たちが十五年間、育ててきたAなのか？

この子が抱えている問題はここまで深刻だったのか？

これから、私たちはどうしたらいいのか？〉

真っ白になり、いっこうに回転してくれない頭で、そんなことを考えながら、ただただ、あの子の後ろ姿を、食い入るように眺めていました。

「家族についてどう思いますか？」という裁判長の質問に、Aは儀礼的に「自分を守る石垣のような存在です」とだけ、例の淡々とした口調で答えていました。

〈そう、私たちがこれからも石垣になって守ってやらないと。

でも、でも、どうやって守って行けばいいのか？

どうすることがいちばんAにとっていいのか？〉

審判の内容は、法律や精神医学の専門用語ばかりで、私たちのような凡人には大変に難解でわかりづらいものばかりでした。

Aは精神鑑定の結果、「普通の知能を有し、（犯行時は）意識も清明である。精神病ではなく、それを疑わせる症状もない。責任能力はあった」と判定されていましたが、一方では「（Aに）良心が目覚めてくれれば、自己の犯した非行の大きさ、残虐性に直面し、いつでも自殺のおそれがある。また、（今後）精神分裂症、重症の抑鬱《よくうつ》等の重篤《じゅうとく》な精神障害に陥る可能性もある」とも診断されていました。

Aが出て行った後、私たちは精神鑑定をして下さった精神科医の先生方に「この子が立ち直れるかどうか、それだけ聞かせてください」とお願いしました。

「どちらとも言えません。このまま、精神病になるかもしれないし、発病しないかもしれません。数パーセントのわずかな数字ですが、少年が立ち直る可能性はあります」

先生はこう答えてくださいました。

希望に満ちた観測ではありませんでしたが、その言葉に私たちは救われました。わずかでも、決して可能性はゼロではないのだから……、と。

あの子はその三日後、東京・府中の関東医療少年院に移送されて行きました。


医療少年院には、その年の暮れなど何回か面会に行きました。

最初の二回は視線も合わせず、話もしないながらも、Aは会ってはくれました。

でも、それ以降は今に至るまで、ずっと面会を拒否され続けています。

一昨年の年末、府中の面会室で初めてAと会ったとき、あの子がソファに腰掛けて私たちと互いに向かい合っても、視線を逸らしてこちらを全然見ないで、隣に座っている府中の先生方と雑談をしている姿をぼんやりと私は眺めていました。

そのとき、フッと直感めいた考えが、頭を過《よぎ》りました。

〈ああ、やはりウチの息子があの事件の犯人やったんや。Aがやってしまったのだな〉

私は、ようやく実感として、辛《つら》い現実を受け入れられるようになりました。

神戸の少年鑑別所でAに怒鳴られたときは、息子の豹変《ひようへん》ぶりに混乱し呆然としただけで、そこまで考えられなかったのですが、なぜか府中でのこのとき、初めて実感が湧きました。もちろんAと先生は、そのとき事件とは関係のない会話をしていたはずでした。

これまではいくら、Aがやったことだと思い込もうとしても、

〈なぜ、どうして。あの子にあんな事が出来るわけがない〉

と否定する気持ちばかりが膨《ふく》らんで、なかなか事実を事実として受け入れられませんでした。

でもそのときは、なぜか突然、現実をようやく事実として客観的に認めることが出来ました。

〈この子にはまだ、私たちに隠している面があるかもしれない〉

あの子の心は、今はまだ罪の重さを自覚出来るところまで来てはいないのではないかと思います。

でも、いずれ客観的に自覚出来たとき、あの子は果たしてその罪の重さに耐《た》えることが出来るのだろうか。もしかしたら、本当に気が狂ってしまうかもしれないと、思うこともあります。まだ、十五、六歳の子供ですから。

でも、それもあの子が犯した罪に対する罰であり、それはそれで仕方ないことだと思

います。成人なら間違いなく、死刑になるでしょう。

それにAがどうなろうと、あの子が奪った二人の被害者の方々の尊い命は、もう二度と戻ってきません。ご家族の方々にとって、掛けがえのない大切な大切なお子さんを、息子があんな風にして奪ってしまったのですから、仕方のないことだと思います。

Aがどうなろうと、許して頂けることは、恐らく一生無理でしょう。やはりそれは虫がよすぎると思います。

でも、あの子が気が狂ってしまえば、このまま一生病院で暮らさねばなりません。仕方がないと頭では分かっているのですが、でもあまりに可哀相で。

せめてあの子が罪を自覚出来るようになったら、それまでに何とかあの子と話が出来るようにして、一緒に私たちが罪を受け止めて、許してもらえなくても、何らかの償いだけでも、本人にさせてやりたい。それがせめてもの、あの子を生んだ私の親としての責任を果たすことであり、務めではないかと考えます。虫がよすぎるかもしれませんが……。

被害者は亡くなり、もう二度とご家族の許へは戻ってきません。

なのにA、あの子は生きています。

本当に申し訳ありませんでした。

でも、自分勝手な解釈かもしれませんが、生きるチャンスを息子に与えて頂けたのならば、立ち直らせてやりたい。

私たちは育て方をどこでどう間違えたのでしょうか。原因が、私たちにあることは確かです。結局、育て方があの子に合わず、結果として潰《つぶ》してしまったのです。

でも、どうすればいいのか？　何が出来るのか？

本人にもなかなか会ってもらえず、話し合うことすらも出来ません。私たちはどうすることも出来ず、今はただ待つことしか出来ません。

損害賠償など法律的なことは、私たちで対応出来ても、息子のことは、専門の先生方にお任せして、ただ待つことしか出来ません。

もちろん私たち親も、子供を更生《こうせい》させることだけが償いとは思っていません。とうてい許して頂けるとも思えません。私たちは被害者の方々に弁解する資格もありません。

でも、私たちが親として出来る本当の意味での償いは、罪の意識もなく、お子様の命を奪ったあの子に、せめて被害者の方々の家にお詫びに行かせること、そこから始まると思っています。

身勝手かもしれません。でもたとえ許して頂けなくとも、私たちに出来ることは、死んでお詫びするか、生きて償うかのどちらかしかありません。

被害者に心から謝罪する——そこから本人の苦しみが始まるでしょう。

何もかもを、死んでお詫びする方がよいのではないかと、何度も考えました。今でも、いっそ死んでお詫びしたいと、フッと思うこともあります。

しかし、逃げるのではなく、たとえ許して頂けなくても、私たちはAと共に罪を一生背負って生き、償えるところまでやってみようと思っています。

私たちがあと何年か生きている間、一生かけて……。

私たちはAを、被害者の方々の許へ、一体いつ連れていけるのでしょうか?

出来るかどうか、それは賭けでもあり、出来ないかもしれません。

でも、最後まで諦《あきら》めずにやってみよう。それを、私たちが今後の生きるよすがにし、毎日を苦しくても生きていこう。

何の根拠もない願望です。でも、信じたいのです。

三章　逮捕前後の息子Aと私達〈父の日記と手記〉

I　逮捕された息子A

　A少年が六月二十八日の早朝、捜査本部が置かれていた須磨署に連行されて以降、一家の生活は百八十度、暗転した。

　逮捕当日の家宅捜索が終了した夜、一家は長年住んでいた友が丘の自宅を逃げるように去り、母子は二度と足を踏み入れることはなかった。親戚縁者の家を転々とし、両親そして二人の弟たちまでが、連日連夜、警察の厳しい事情聴取を受け、A少年の事件前後の行動、言動を詳しく聴かれる。執拗《しつよう》なまでのマスコミ攻勢からその姿を隠すため、両親は一時期、離婚。弟たちは姓名を変え、兵庫県から遠く離れたある都市に親と離れて暮らした。

　A少年の父は事情聴取の際、自分があまりに息子のことを知らなさすぎたことを痛感し、自戒の念を込めて、逮捕当日からその年八月末まで日記を書いた（淳君が行方不明になった当時のことも、思い出しながら、併せて書き記している＝本章のⅢ)。

以下はそれらの抜粋である。

●一九九七年六月二十八日（土曜日）――逮捕の日

朝七時十五分頃、今日は子供達の学校も私の会社も休みで、家族全員その時はまだ眠っていました。

突然、インターホンが鳴り、私が寝間から起きて玄関のドアを開けると、警察の方が二人中に入ってきて、スッと警察手帳を見せられました。名前までは覚えていません。

「外では人目に付くので」と言った後、一人が玄関のドアを閉め、「息子さんに話を聞きたいのですが……」と言われました。

「はあ、ウチ、息子は三人おりますが……」

「ご長男A君です」

藪《やぶ》から棒《ぼう》でしたが、私は言われるまま階段を上がり、Aが眠っている二階の部屋へ起こしに行きました。

Aはまだ眠っていました。

「おい起きろ、警察の人がお前に話があるらしい。玄関に来とるぞ」

Aはモソッと起き、寝ぼけ眼《まなこ》で「ふーん」と着替えはじめました。別段、特に変わった様子はありませんでした。

Aが二階から下りて来ると、警察の方は私にこう言いました。

「ここでは話がちょっとしにくいので、別の所まで連れて行きます」とそのまま近所に停めてあった、車種は分かりませんがグレーの乗用車に乗せ、Aは連れて行かれました。

私はこんな朝早くからちょっと変だなと思い、すぐ追って玄関に出ましたが、車が走り去った後でした。

息子が連行されたのは、土師淳君の殺害事件の捜査本部が置かれていた須磨署だと、私はこの時点ではまだ知る由《よし》もありません。

その後すぐ、またインターホンが鳴り、別の警察官が来て、「お母さんにもお話をお伺いしたい」と言われました。

妻は身支度を済ませ、今度はワゴン車に乗せられ、Aとは別の垂水《たるみ》署に連れて行かれました。

妻が車の中で「なぜ、Aと別の場所へ行くのですか」と警官に尋ねたら、「いや、別々の方がいいんです」と言われたそうです。

妻が出て行った後、また別の警察官二人（K、Dと名乗られました）が来て、今度は私に「家の中へ上がらせて下さい」とおっしゃり、私は「じゃ、どうぞ」と奥の居間へ入ってもらいました。

そのうち次男、三男が起きて来て「お母さんは？」と聞くので、私は「お母さんはちょっと出掛けているから」と説明し、お腹が空《す》いていたら、コープ（すぐ近所の生協）へ行って何か買ってくるように、とお金を子供らに渡しました。

子供達は、私の分の弁当も買って来てくれました。

警察の人も弁当を買って持って来られていたので、私がお茶をいれ、一緒に食べましたが、〈今日は変な日やな。一体、何やろ〉と食べながら思ったので、あまりおいしく感じませんでした。

昼が過ぎてもAと妻が帰って来ないので、〈何かあったのかな〉と心配になりましたが、今度の淳君の事件では警備も凄く、警察も自治会も友が丘地域の住民個々人に個別の調査をしているのかなぐらいにしか、そのときは思ってはいませんでした。

警察の人は、友が丘地区付近の中学、高校生全部に会えるまで来るらしい、とか聞いていたので、ずい分大変やなと思っていました。

家には淳君とは同級生で友達の三男がいるし、長男、次男は友が丘中学に通っていたし、妻は土師さんの奥さんとは卓球クラブなどを通じて知り合いだったので、無理もないなと思い、警察の人と私も世間話をしていました。

その時の会話はあまり事件には触れず、もっぱら私の仕事や趣味の魚釣りやゴルフの話などをしていたと思います。

その時点では、私は自分の長男が容疑者として取り調べを受けているとは、これっぽっちも疑っていませんでした。

妻は午後六時頃になってようやく戻って来たので、「何の話やった？」と尋ねました。

「午前中は世間話。子供の今までの育て方とかをタラタラ話して、何でこんな事を警察で話さなあかんのやろと思いながら、ずっと喋っていた。まあ、警察やから協力せなあかんかなっと思って……」と妻は言いました。

そして妻は、何が何だか分からないっといった風に首を傾《かし》げながら、二月の連続通り魔事件のことを、ちょっとだけ聞かれたと話し出しました。

「『二月にA君、何かありましたか』と言うから、『いいえ』と答えたら、『学校に呼ばれたことありませんか？』と尋ねられたわ。女の子を追いかけ回して学校から呼び出された事を思い出したので、ああ、こんなことがありましたと説明した。

すると次は警官に、『三月の通り魔事件知ってますか？』と聞かれて、『ああ、ニュースで……、可哀相で』と答えたら、何かAが疑われているとか向こうが言いだして……。

『どこからそんな話が出てるんですか』と聞き返したら、『いえ、ちょっと名前が出てるだけですから』と言われて、私もう『えーっ』とびっくりしたわ」

そんな話をしたと思います。

妻は戻って来て晩御飯の支度にとりかかり、お米を洗ったり、お風呂の準備をバタバタやり始めました。

六時十分頃、警察官のKさんから私が外に呼ばれました。

「お父さん、何も聞かずに僕を信用して話をよく聞いてください。子供達をどこかに預けることはできますか」

私はお風呂の水を溜めていた妻に「おい、やめ。ちょっとこっち来い」と声を掛け、どこへ預けるか相談しました。何が何だか、さっぱり見当も付かないまま、「なぜですか？」と聞いたりしましたが、「理由は聞かんといて下さい」の一点張り。

近所にいる妻の親戚の所へ預けることにし、私が車で子供二人をその家に連れて行きました。

戻って来た六時三十五分頃、玄関先で先ほどのKさんから、「ちょっと淳君の事件で重大なお話があります」と言われ、「家宅捜索令状」というものをパッと見せられました。

「ええーっ、なんで……」

とっさに私は大きな声を出してしまいました。何が何だか訳が分からず、混乱した頭のまま、「とにかく二階に上がってもらえますか」とKさんに言い、妻を呼びました。

二階のAの部屋ではなく、広い十二畳の弟達の部屋に座ると、

「ちょっと気を鎮めて聞いてください」

何も知らない妻は「はあ、何でしょうか」という感じでお話を聞き始めました。私はその隣で、〈Aが淳君の事件に関わっている。まさか、まさか……〉と、自分の心臓がドクッドクッと激しく脈打っているのが分かりました。

まさか淳君の事件にAが関わっているとは、正直言って想像もできませんでした。

「A君を容疑者として今、取り調べをしています」

そして、六時五十分頃に二回目の「家宅捜索令状」を見せられました。

「……」

その時は、私の頭の中がパッと真っ白になってしまい、何回も「何でですか？　Aが何をしたのですか？」と同じことばかりを尋ねるだけで、一体何がわが家で起こっているかキチンと理解できませんでした。

あまりのことに、記憶も途切れ途切れにしか残っていません。

妻も同じで、「お父さん、これ、どうなってるの。もう一回言うて」と混乱するばかり。

「Aが何したんですか？　えー、何したんですか？」

私も繰り返し繰り返し、尋ねていたように思います。

妻は、次の月曜日に当たっていた町の掃除当番ができなくなることを思い出し、隣の家に伝えに出ましたが、もうフラフラ状態で顔は土気色でした。

そんな動転の中、家宅捜索が始まりました。

私達夫婦は、「えー、えー」としか言葉が発せられず、何が何だか分からないまま、警察官がAの部屋から次々と押収していく品物に対し、「これを指で指して」と言われるままに、ただロボットのように従って、写真をバシャバシャ撮られていました。

八時半頃、付けっ放しになっていた居間のテレビの画面に、「淳君事件の犯人逮捕。友が丘の少年」という短いテロップが出ました。

「えっ、こ、これですか？　これはAのことですか？」

捜索している警官に妻が尋ねると、「そうです」という短い返事が返ってきました。

何時間過ぎたのか分かりませんが、次第に警官の人数も十四、五人に増え、家中が騒然とした雰囲気になり、〈ここが本当に自分の家なのか〉と私たち二人は呆然と立ち尽くしていました。

ただただ、「えー」と声を発した後、大きな深い溜《た》め息《いき》ばかりついていた、としか思い出せません。

玄関のインターホンはピーン、ピーンと鳴りっ放しで、最初は警察に、「寝ていますとか何とか言って下さい」と言われていましたが、何回も何回も電話と一緒に鳴り出したので、電話線を引き抜いてインターホンも外《はず》してしまいました。

警察の指示で予め家の雨戸は全部閉めていたので、外の様子はあまりよく分からなかったのですが、外がザワザワと段々騒がしくなっていくのが分かりました。

二階のAの部屋の捜索に私と妻が立ち会い、警官から次々と見たこともないようなモノを見せられました。

「お父さん、お母さん、これ」

と示されたモノを見たら、蓋《ふた》もない日本酒のワンカップの空瓶の中に、干からびた何かがたくさん入っていました。

「何やろ？　これは」

「猫の舌です」

「……」

捜査員は携帯電話で須磨署にいるAと連絡を取りながら、捜索をしているようでした。

「(Aの部屋の)天井を調べたいのですが」

「はあー」

私はこの時まで、Aの部屋の天井のその箇所に天井への出入り口があることも知らず、もちろん天井裏に上がったこともありませんでした。

私は動揺してしまい記憶はハッキリありませんが、捜査員は私達に、ここにAが淳君の遺体の頭部を隠して置いていた、と手短に説明したようでした。

天井裏からは大工さんが使う工具の一種で、エアーでクギを打つ器械が出てきました。私が日曜大工で使っている工具ではなく、見たこともない道具でした。

「お父さん、これ」と、次にAの机から引っ張り出したノートをパラパラと見せられました。報道されたいわゆる「犯行ノート」というものでしょうが、書いてある文字も目に入らず、ただナチスの卍のマークを捩《もじ》ったような、というマークが描いてあったことしか覚えていません。

私は直感的に、Aが通っていた少林寺のマークを崩したものに似ているな、と思いました。

妻もノートの字が小さくてよく読めず、内容は読めなかったが、警官に見せられたページに書いてあった「三月十六日」という日付だけは、何となく記憶にあるそうです。

「えー、えー、えー」

私達はただそんなうめき声をあげるばかりで、妻はAの部屋の床にへたり込んだまま、捜索をポケーッと眺めていました。

私は台所で押収品目交付書というものに震えながらサインをし、どんどん積み上げられていく段ボールをボーッと見ながら、「なんで、なんでAが……」と呟《つぶや》き、ただただ深い溜め息ばかりついていました。

他にAの部屋からは小刀、『マールボロ』のタバコ、台所などから、犯行声明文に使用されていたという赤いビニールテープ、百円切手、二階からは声明文を新聞社に送りつけたのと同じだという茶封筒、便箋《びんせん》——。その時は呆然として分かりませんでしたが、次々に出ていたようです。

外は報道陣に取り囲まれているらしく、前にも増して騒がしくなり、カメラのフラッシュがパッ、パッと光る度に、身を切られるような思いがしました。

家宅捜索が終わったのは、深夜十二時を過ぎてからでした。

私達は親戚の家に身を寄せることにしましたが、外は報道陣だらけだったので、警察がそれを撒《ま》くために作戦を考えてくださり、囮《おとり》で警察の覆面《ふくめん》パトカー二台が先に出て、その後の車に乗り込んでわが家を脱出しました。

近くの派出所で、その車から警察に用意してもらった別の車に乗り換え、ようやく親戚の家にたどり着きました。

「何で、何でこんなことになったんやろ……」

親戚の家ではもう、何も話す気力もありませんでした。

すぐ横になりましたが、私達は当然ながら、その夜は一睡もできませんでした。

●六月二十九日（日曜日）

午前十時頃、身を寄せている親戚の家に警察官三人が来ました。

午後一時頃、下の二人の子供を預けていた別の親戚の家に寄り、私だけ再び自宅の家宅捜索に立ち会いました。

室内は荒れ放題で段ボールの山。昨日まで住んでいた自分たちの家とはとても思えませんでした。

家の周りはまだ報道陣が一杯群がっており、薄暗い台所で押収品目交付書にサインしながら、深い溜め息をまたついていました。

午前零時頃、警察の車で親戚の家に送ってもらいました。

●六月三十日（月曜日）

午前五時二十五分、私の会社の○○氏に電話し、会社をしばらく休む旨を伝えました。

午前十一時三十分、警察官が三人、弁当持ちで本格的な事情聴取のため調書を取りに、私達が身を寄せていた親戚の家にやって来ました。私はK刑事、妻はD刑事、子供二人はS婦人警官が担当していました。

何を聞かれても、私は「知らない」としか答えられず、あまりにAの細々した日常の言動、行動を知らなさ過ぎたと痛感しました。自分の父親としての不甲斐なさに、悔しい思いで一杯でした。

土師淳君がいなくなった五月二十四日から一昨日の逮捕までのAの行動、自分の行動を思い出して見よう。今夜のことも忘れないように、ノートにまとめることに決めました。

●七月一日（火曜日）
午前十一時、警察官が事情聴取に訪れました。

Aの当日の行動、不登校を起こした頃の学校での様子。万引き、タバコ、同級生を殴るなどの非行歴など。

午後三時、警察官と一緒に友が丘の家の家宅捜索に立ち会いました。家は報道陣が取り囲んでいて、家の電話は鳴りっ放しでした。

フラッシュを焚《た》かれる度に生きた心地がせず、この場から消えてしまいたい。

午前零時三十分、帰りはマスコミに追いかけられ、大変苦労して親戚の家に戻ることができました。

●七月二日（水曜日）
午前五時二十分、眠りが浅く、よく眠れず、夜中何度か目が覚めました。

Aがなぜ、あんなことをやったのか？

いや絶対、絶対何かの間違いに違いない。間違いであってほしい。

錯乱する頭で、こんな考え事ばかりしていました。

午後二時、警察が事情聴取に来ました。

午後七時五十分、警官が帰った後、報道陣と思われる人がインターホンを鳴らしました。親戚の家までもうやって来たと思うと、鳴る度に家族全員がガタガタと震えだしていました。インターホンは四、五回鳴りました。

下の子供達二人は逮捕以降、寝る時は私や妻にべったりしがみついて眠る毎日です。

●七月四日（金曜日）

午前四時二十分、目が覚めてトイレに行き、戻っても眠れませんでした。

午前五時、日記を書くことにしました。

午後一時三十分、T検事が検事調書を取りに来ました。警察官の調書の質問とほとんど同じでした。連日、繰り返し繰り返し同じ質問の事情聴取ばかりで、そのうち頭がおかしくなるのではないかと思いました。

私、妻、子供達と別々に狭い部屋で一日中、調書を取られ続けていましたが、嫌とはとても言えず、本当に辛《つら》い。

●七月五日（土曜日）

午前十時、私達は初めて弁護士の先生方にお会いすることができました。弁護士の先生とお話しするのは何ぶん初めてのことなので、お会いするまで緊張と不安で一杯でした。でも、お話を聞いていくうち、少しは気持ちが落ち着きました。

地位もお金もない私達みたいな家族のために、長男の弁護をして下さる。聞いた時、本当にホッとしたような、嬉しい気持ちになりました。

警察や検事にただ聴取されるばかりで情報もほとんど入って来ず、今まで何がどうなっているか分からないまま、太平洋の大渦の中に、私達家族だけがポンと投げ出されてしまったような状況。先生方は震えていた私達に勇気を与えて下さいました。

弁護士の先生は数人ついて下さるとの事。本当にありがとうございます。

●七月六日（日曜日）

午前四時、目が冴《さ》えて考え事ばかりで眠れませんでした。これから私達はどうなるのでしょうか。Aはどうしているのだろうか。

午後二時三十分、警察官が二人来て、「明日はAの生い立ちについての話を調書にしますから」と言ってすぐに帰りました。

午後五時五分、須磨警察の留置場のOさんから電話がありました。

お願いしていたAとの面会の件で、こう告げられました。

「先程は今日、明日にでもという希望を持たせる返事をしてしまいましたが、上司と相談したところ、警察の周囲にマスコミが多いので、面会は当分無理です」

この度のことはA本人の口から本当のことを聞くまでは、私も妻も信じられない、という気持ちでした。それだけに本当にガッカリしました。でも、仕方がない。待つことにします。

●七月七日（月曜日）

今日はAの誕生日です。十五歳の誕生日。あの子は一人でさびしく留置場で迎えたかと思うと、目から涙が溢《あふ》れました。どうして、どうしてこんなことになったのか？

例年だと、妻が三人の子供の誕生日には、いつも張り切って手作りのケーキを作って食卓を囲み、お祝いを家族五人でしていました。それなのにどうして……。

私にはどうしても、分かりません。

午前一時十分頃、そんなことを考えていると、目が冴えて寝つけませんでした。

午前二時五十分頃、また、目が冴え眠れない。

午後一時十分頃、警察官が四人来て、長男の生い立ちの調書を取りはじめました。

――次男が生まれた頃、夜泣きでうるさいAを私がおんぶしてあやし、寝るときも毎晩添い寝をしていました。

眠る前にはよく、Aの布団の中で昔話をしました。浦島太郎、桃太郎、鶴の恩返し……。

小さい時は私の足首に子供を乗せて上下、左右にゆらゆら揺する「波乗りサーフィン」という遊びをよくAにしてやりました。無邪気にキャッキャッとはしゃぐA。

私の休みの日は一緒に砂場に遊びに行きました。三歳の時、砂場に雑草を植えた時、Aに「何、植えたん」と聞くと、「稲」と答えた時はびっくりしました。

頭におもちゃのバケツをかぶり、玩具のバイクに乗って家の中を走り回っていたA。長靴をはくのがお気に入りでした。

四、五歳の頃、正月に湊川《みなとがわ》神社に初詣《はつもう》でに行った時、Aに「何をお願いした」と尋ねると、「お父さんの怪我した中指が治りますように、お母さんがスマートになりますようにお願いした」と無邪気《むじゃき》に話していました。自分のことより、親のことをお願いするなんて……。私は嬉しくて嬉しくて……。今でも昨日の事のように覚えています。

小学校四年の時、少林寺拳法（Aは小学二年から六年まで入門していました）の県大会に出ているわが子Aを見て、大きくなったものだと非常に嬉しく思ったものでした。

小学校五年の時、盲腸の手術をしてから急に背が高くなった。あの頃があの子も一番充実していたかもしれません。

スイミングスクールでは水を怖がっていました。でも、いつの間にか泳げるようになり、私の生まれ故郷（鹿児島県の離島）に帰った時も釣りを一緒に楽しんだ後、川でよく泳いでいました。

Aは私の故郷が好きで、もう親戚も誰も住んでいない空き家になっている私の生家を一緒に訪ねたとき、「僕が将来、ここへ帰ってきて住む」と言った程でした。

小学校の高学年の頃、私の会社に工場見学に来て、その規模の大きさに驚いていました。

六年生の春休みに、万引きをしていたのが分かった頃から、Aは少し変わり、よく学校に呼び出されるようになりました。しかし、いい子ではないが、根は素直で思いやりがある子と今でも思っています。

私は日曜大工が趣味で、子供達に木の玩具をよく作ってやりました。

「人に物をあげる時は、買った物よりかは手作りのプレゼントの方がいい。気持ちがあるやろ。買った物は同じ物がたくさん売られてるけど、手作りのプレゼントは世界で一つしかないやろ。最初は下手でもいいんや。何度も作っていれば上手《うま》くなるからな」

子供達によくそう言ったものでした。木の椅子が二個、高さ一メートル程の滑り台、清掃車、潜水艦、貨物船、飛行機などを作りました。

たしか中でも飛行機は、三男と友達で家に遊びによく来ていた土師淳君も気に入ってくれ、窓から外へ飛ばして遊んでいたことがあり、妻が「淳君、木の飛行機やから飛ばへんよ。人に当たったらあぶないで」と注意していたことを覚えています——。

＊

そんなことを警察官に話しているうちに、走馬灯のようにＡの幼い頃が蘇《よみがえ》ってきました。

なぜ、Ａが淳君を？　なぜ、なぜ？

いくら考えても私には分かりません。信じられません。

午後三時二十五分頃、遅い昼食を食べました。お腹は空いているけど、何を食べてもあの逮捕以来、おいしいと感じられません。何か食べないと体が動かなくなると思って無理に食べていました。

でも、妻は逮捕後、ほとんど何も口にせず、コーヒーしか飲みません。車の運転もできなくなっています。私は妻の精神面、体調が心配でした。でも、どうしてやることもできません。

午後七時八分、警察官は帰りました。「明日は訪問しませんのでゆっくり休んで下さい」との事。

●七月八日（火曜日）

午前六時二十分頃、起きました。今日は警官が来ない事もあってか、珍しくよく眠れました。少しは気持ちのいい朝でした。

午後十二時四十五分頃、弁護士の先生から電話があり、Aの部屋の「ここは天国」という落書きの事について聞かれました。

Aの部屋の落書きは、下の弟二人が書いたものでした。昔、Aの部屋には子供らの二段ベッドを置いており、「上は天国、下は地獄」という意味でふざけて下の息子が書いた時のものと、妻から聞いていました。

落書きはいいこととは思っていませんでしたが、男の子三人だし、前の家では襖《ふすま》の骨組みまで折られていたぐらいで、後で消せばいい、まあ仕方がないかなという程度にしか考えていませんでした。

午後一時頃、またインターホンが鳴る。テレビカメラを持った記者のようでした。子供達は過敏になっており、窓から何度も覗《のぞ》き、しきりに気にしていました。

●七月九日（水曜日）

午前六時五分頃、朝、目が覚めたら、外は雨が降っていました。

私は外で体を動かすのが好きな性分なので、雨はあまり好きではありません。でも、こういう状況でじーっと家に籠《こ》もり、雨の音を聞いていると、不思議と気持ちが落ち着くな、などとボンヤリ考えていました。

また、朝寝をしました。

午前十時頃、また、警察がやって来ました。

午後二時五十分頃、K刑事から、神戸市の教育委員会の方が下の子供達のことを心配して下さって、学校のことで相談や協力できることがあれば連絡を下さい、と言っていたとのメッセージを聞きました。

こんな事件を起こした私達家族に、やさしい言葉をかけて下さって本当にありがたかった。嬉しく思いました。

●七月十一日（金曜日）

午前四時四十八分、目が冴え、起きて考え事ばかりしていました。

午前七時頃、疲れていたので、家族全員でゴロゴロしていました。

午前九時二十分、テレビニュースが鹿児島、佐賀では大雨災害が出ていると伝える。

午後十二時三十六分、インターホンが三回鳴る。

午後一時頃、警察官二人が来ました。

「強制ではありませんが、友が丘の家にタライは何個ありますか」

「二個と思います」

なぜタライなんか、と思いながら私は答えました。

「一緒に取りに行ってくれませんか」

警官に言われました。

午後一時三十五分、友が丘の家に着き、タライを取り出しました（編集注〈以後は編注〉＝タライはAが犯行後、淳君の頭部を家で洗った時に使用した）。

家の近辺は当たり前ですが、知っている方ばかり。報道陣や近所の人の目が怖くなる。ついで十数日前まで住んでいた自分の家なのに、今では他人の目が恐ろしく、落ち着かない。私物書類品（預金通帳、生命保険証書や米など食糧）九品を持って、逃げるように親戚の家に帰りました。

午後三時頃、親戚の家に帰ると、子供二人の調書がまだ時間がかかりそうでした。

「二人とも昼食もまだ食べておらず、お腹も空いています。今日は疲れているので……」

私は勇気を振り絞ってお願いしました。

警察の人は、「残りは明日にしましょ」と言って帰ってくれました。

午後十時頃、インターホンが二回鳴る。テレビの記者でした。

●七月十二日（土曜日）
午前四時四十八分、目が覚めてトイレに行く。

午前七時、起きる。

午前十時、事務所で弁護士の先生に会う。

このとき、被害者の方々への謝罪をどうするか、話し合いました。

＊

私達夫婦はこの時点では、まだAがあの事件の犯人とはどうしても理解できませんでした。Aはいい子ではなかったが、根はやさしい子で、とてもあんな大それた事件を起こせるとは思えなかったし、まだ十四歳でした。（編注＝新聞、テレビなどで犯人として報道されていたゴミ袋を持っていた男とは、全く風体も違いました。なのになぜAなのか。絶対何かの間違いだ。疑問で頭が錯乱し、お詫びの件はどうしていいのか冷静に考えられませんでした。

しかし、土師淳君は三男の友達で、土師さんの奥さんと淳君は知り合いでもありました。このままの状態でいい訳はない。

しかし、知り合いばかりがいる須磨の土師さんのマンションを訪ねる勇気も気力も、この時点ではありませんでした。

Aに会って本人の口から真実を聞くまでは待ちたい、という気持ちを、弁護士の先生にお話ししました。

＊

次に、いつまでも親戚の家に居候《いそうろう》する訳にもいかず、今の状態が続くなら友が丘にも帰れるはずもありません。住居を県外か、どこか遠くへ移した方がいい、と話し合いました。

しかし、私は当分会社を休まねばならない状態で、稼ぎもない。人に会うのが恐ろしくなり、この先会社に復帰できても、職場に顔を出す勇気があるだろうか？　こんなことになって会社を辞めざるを得なくなるかもしれない。

しかし、今後はわずかな子供らの学資貯金を取り崩していくだけでは、生活の目処《めど》も立たない。家族が路頭に迷うことになる。

「お辛いでしょうが、ご家族の今後の生活もありますから、職場復帰をいつごろどうされるかも、ご自分でよく考えられた方がいいですよ」

弁護士の先生からそうアドバイスを受けました。

その他にも、「下の子供らをこの恐怖から何とか遠ざけたい」「Aとの面会はどうするか？」「Aが送致されそうな少年院はどこにあるか」などを先生方に尋ねました。

Aとの面会については、本人が会いたくないというのであれば、私達は本人の気持ちを尊重することにする、と伝えました。

＊

Aが本当にあの事件の真犯人なのだろうか。もし、そうであれば今後、私達はどうなるのか？　昼頃から考え事をしながら歩いていたので、左太股の付け根が痛みだし、歩きにくくなっていました。

●七月十三日（日曜日）

午前十一時三十五分、弁護士の先生から電話がある。Aの拘留中の健康状態を知るため、過去に大きな病気をしたことがないか、尋ねられる。

Aは中学二年の秋、風邪症状がなかなか治らず、肺気腫（肺の弾力性がなくなり、呼吸困難を起こす病気）を患《わずら》い、慢性気管支炎になったことがある、と妻に聞いて回答。

正午、ずっと部屋の中で取り調べばかりを受けているとストレスが溜まり、私達はともかく、子供達まで頭がおかしくなりそうになっていました。

外の空気を吸いに散歩に出ることにしました。

報道陣に会う恐怖がありましたが、思い切って外に出ました。

終始キョロキョロして、皆緊張していましたが、やはり外は気持ちがよかったです。

午後二時頃、散歩から家に戻りました。

午後二時十五分頃、妻側の親戚がちらし寿司を作って持ってきてくれましたので、皆で食べました。久しぶりのみそ汁の昼食で、Aの逮捕後初めておいしいと感じられました。

午後三時二十分、熟睡が出来ない日が続き、頭が重く体がだるいので、そのまま横になりました。

妻は事件後、ショックのあまり放心状態で、食欲も全くありませんでした。もしかしたら、私が目を離すと死のうとするのではないか、と心配になり、一人置いて出かけるのが不安になっていました。

どちらかが「死にたい」という気持ちになったら、もう終わりだと私は思い、どんなに錯乱しても、Aに会って真実を確かめるまでは、自分がしっかりしないとダメだ、と何度も言い聞かせていました。

妻は疲れ果てている様子。でも、一緒に死ぬこともどうすることも出来ない今の状況が苦しい。

Ⅱ　逮捕後、家族の漂流の日々

●七月十四日（月曜日）

午前五時三十分、目が覚めてトイレに行き、テレビを点《つ》けましたが、見る気がしませんでした。

午前七時、起きて来た子供達と一緒にテレビのマンガ番組を見ました。「ジャングル大帝レオ」「アラジン」を見ながら、朝食を食べました。ご飯、みそ汁、玉子焼き。

午前八時三十五分、おかしな無言電話がありました。「もし、もし」と言っても、水中ポンプが作動しているような、おかしな音だけが聞こえてくるので切りました。マスコミが私達の様子を探っているのでしょうか？

午前十時十分、警察のKさんから電話があり、須磨署に私達から「息子にぜひ、会いたい」という電話があったと聞かされました。

私達は、本人の意志を尊重して待つと決めたので、電話した覚えがありませんでした。

「どうしてもご両親が会いたいのなら、弁護士を通して言ってもらえたら、協力はしますよ」との用件でした。

ちょっとおかしいと思い、弁護士さんに電話しました。

警察には「本人が会うと言ってくるのを待ちます」と返事をしました。

マスコミが、私達やAの身辺を探り回っているのだろうか？

いずれここへも押しかけてくるつもりだろうか？　言い知れぬ恐怖心に押しつぶされそうになりました。

午後十二時三十分、居候している親戚に頼み、Aに荷物を送ってもらいました。

本、トレーナー、トレーニングウエア、靴、バスタオル、ソックスなど身の回りのモノ。

Aは元気なのか？

午後二時二十分、警察官が三人来る。

次男の五月二十七日分の供述調書にサイン。

妻の六月二十八日の家宅捜索の様子と息子の躾《しつけ》についての供述調書にサインしました。

私は五月二十五日の調書の間違いを正してから、サインをしました。

躾の調書の方にもサインする。

「自分のした事は人になすり付けるような事はしてはいけない。自分のした事は自分で責任を持って、責任が持てないようなことはするな」。そんなことをAに言い聞かせていたという内容でした。

私はAに勉強とかはできなくてもいいから（私も中学の時は全くしませんでした）、嘘をつかない人間になってほしいと思っていました。

私は嘘をつく人間は嫌いでした。

やはり長男だし男なのだから、いずれ独立して力強い人間になってほしいと思っていました。

「後日、家宅捜索の押収品の返却予定日を知らせます。何か新しい情報を思い出したら、教えて下さい」と警察は言い残して、帰って行きました。

Aと事件についてどう考えても結び付きませんでした。私が子供を知らなさ過ぎたのでしょうか？

●七月十五日（火曜日）

午前六時十五分、起きてテレビのニュースを見ると、今日にもAを連続通り魔事件で再逮捕する予定、と報じていました。

私達は警察から供述調書作成のため質問はされますが、Aの犯行や供述について具体的なことは何も聞かされていませんでした。いつも後になってテレビ、新聞などの報道で知る、そのパターンの繰り返しでした。

知らせると、私達が弁護士に喋ると思われていたのでしょうか。

自分達が全く知らない息子のことを報道で知らされるというのは、やりきれない無力感に襲われ、辛いことでした。そして自分達が供述したことも次々といつの間にか報道される。一体、誰が報道陣に喋っているのか。人間不信になりました。

午前十一時十二分、インターホンが鳴る。また、報道陣が来たようです。

同十五分、須磨署の留置場のSさんから電話がありました。

「A君が午前九時三十七分、二月十日と三月十六日の通り魔事件で再逮捕され、ここ須磨署にいます」と伝えられました。土師淳君の事件だけではなく、通り魔事件でまでも逮捕されたと思うと、絶望感がヒシヒシとこみ上げてきました。

午後四時頃、警察官が二人来て、今後の予定を告げられました。

・七月十六日、須磨の家の庭の現場検証に立ち会ってほしい。

・七月十七日、妻に十二時頃、検察庁へ事情聴取に行ってほしい。

・七月十八日、私も検察庁へ。その後、押収品を返却すること等。

午後七時二十五分、弁護士の先生に電話して報告。弁護士の先生の一人が今日、私の会社に行って下さり、私の現状、処置を相談して下さったとのこと。
・休職は無給の長期休暇扱いになる。
・職場の配転を検討する。
会社側の意向を先生から教えられました。

私は、子供達の隠れ場所の件について、くれぐれも先生にお願いをしました。

午後十時、会社の○○氏に電話を入れ、会社の様子を聞きました。会社には迷惑をかけてばかりで申し訳ない気持ちで一杯でした。私が会社に出られる日は来るのでしょうか。

●七月十六日（水曜日）

午前九時四十分、警察の監視班三人が来て、友が丘の家に行く。Aの部屋の窓から外庭の方を一時間ほど調査しました。六月二十八日を境に変わり果てたわが家、荒れ放題になっている庭。

室内及び、机、本棚、椅子など三十分にわたり調べ、その後に庭を調査しました。閉ざされたAの部屋の窓。もう永遠に開けられることもないように見えました。

午後十二時三十分、押収品の返却を確認。四十九品のサインをしました。

午後七時五分、電話で須磨署の留置場のOさんからAの様子を聞きました。

「身体の調子はよいみたいで、今日シャワーを浴び、便通もあった。夜はよく眠っているようです。七月十四日、健康診断を受け、二十五日に再診断を受ける予定です。再逮捕で、拘留期間が七月十六日から二十五日まで延びて須磨警察にいることになりました」

弁護士（接見者）が五人から八人に増えたそうです。

Oさんが A にリンゴを差し入れてくれましたが、「果物は食わへん」と A に言われ、代わりにスナック菓子を三袋、差し入れて下さった。カッパえびせん等。感謝いたします。

午後九時頃、弁護士の先生から電話があり、下の子供二人を、一日も早く県外の遠くへ預けたいと話し合う。

私達は A のことで検察庁での聴取、審判と動かなければならないので、ここから離れる訳にはいきませんでした。次男、三男はストレスで疲労しきっている様子でした。いつ報道陣に捕まるか分からない、不安定な状態でした。

別れるのは寂しいですが、仕方ない。預ける場所があればよろしくお願いします、とお願いしました。

●七月十七日（木曜日）
午前六時三十分、目が覚めましたが体が動かず、ゴロゴロしていました。

午前八時三十分、「お父さん、テレビのビデオ録《と》ったから見よう」と三男が気を遣って言い出し、「黒帯キッズ」を子供らと三人で一緒に見る。

午前十一時四十五分、警察官二人が来ました。

「Aの過去の病歴に関する同意書がほしい」と言われ、サインする。
・押収品の返却。「赤ビニールテープ」（編注＝Aが犯行声明文を神戸新聞社へ郵送したとき封書をとめたテープ）、「百円切手三枚」（編注＝犯行声明文の送付に使用）等。
・次男の中学校の終業式に出席するかどうかの件で、友が丘中学に連絡を入れて下さいとの事。
午後十二時十五分、妻は検察庁へ。

午後四時五分、教育委員会の担当の人に電話をする。

「次男の通知表受け取りについてどうしますか？　転校を考えられていますか？　一度お会いし、子供達の今後の学校生活の件をご両親と話し合いたい」

午後七時十五分、朝日新聞記者がインターホンを鳴らすが出ず。

私は一人でAのことを考えていました。

息子三人はみな同じようにしたつもりでしたが、やはりAとは一緒に喋ったり遊んだりした回数は、下の次男、三男に比べて少ないような気がします。

Aは昔から外に出るのがあまり好きではなく、買い物に行くにしてもほとんど私と一緒には来なかった。次男、三男はよくついて来ました。弟達に何かを買ってやったら、兄ちゃんの分も、と下の子供らはいつもAに気を遣い同じ物を買っていましたが、やはりAは私には懐《なつ》いてはいなかったような気がします。むしろAは妻が好きで懐いていたと思います。

でも、私はあまりAの態度は気になりませんでした。中学時代は私も親といるのも喋るのも嫌だったので、Aの態度もごく普通というか、息子とはこういうものだと思っていました。私も喋るのはどちらかと言うと苦手でした。

●七月十八日（金曜日）

午前六時十分、一人起きて、ニュースを見る。

「神戸地裁は、通り魔事件で再逮捕されたAの拘置《こうち》を不服とする、弁護側の準抗告を棄却すると決定。まだ、Aには十分な捜査が必要。鑑別所に移すと取り調べに支障がある」

弁護側は最高裁に特別抗告を予定。Aは当面は須磨署に拘置されるようです。

午後十二時三十分、警官が来る。

「この前、押収されたタライの所有物権放棄書にサインしてほしい」とのこと。サインをする。日付は七月十四日になっていました。

その後、検察庁へ行く。

午後四時頃、聴取が終わり、被害者の方々には大変申し訳ないと思いながらも、サッカーが大好きな下の子供達のために、サッカーボールを思い切って買いに行くことにする。

子供達が外に出られず、ストレスを溜めているのが気になっていました。誰かに会ったらどうしよう、と他人の目を気にしながら何時間も歩き回り、やっとの思いでボール一個を買う。

午後七時三十五分、週刊新潮の記者がインターホンを何度か鳴らす。親戚の者が「申し訳ございませんが、お答えすることはありません」と応対。

●七月十九日（土曜日）

午前七時三十五分、新聞、テレビを見る。

午前九時頃、子供達と一緒に近所の公園へサッカーをしに行きました。

人目を気にしながらでも、少しは子供達のストレス解消になるかと思い連れ出す。

しかし私は、緊張から逆にひどく疲れてしまいました。

午後一時三十分、弁護士の先生方に会いに行く。
・私達のために子供の学校の事などいろいろ行動してもらっている先生を三人、紹介される。
・私の友人からの手紙を弁護士の先生から受け取りました。
・子供達を早急に県外へと話し合う。
・私達夫婦も、暫《しばら》くは子供の姓を変えるため離婚し、別居した方がいいと話し合う。
家に帰ってから、妻と一緒に子供達に「お前達だけでも神戸から離れて、とりあえず県外へ出るように」と切り出しました。子供達は毎日、報道陣に怯《おび》えてはいますが、私達と離れて暮らしたくないと言いました。なかなか「はい」とは言ってはくれません。妻は涙を流しながら、繰り返し繰り返し子供達を説得していました。

午後七時四十五分、インターホンが鳴る。三男が覗き窓から見ると、外にテレビカメラを持ったテレビ朝日の男性記者三人がいたそうです。私達四人は息を殺して、記者が帰るのを待ちました。

午後九時三十分、テレビのニュースで、「淳君が遺体で見つかった五月二十七日、Aが児童相談所でテレビを見ながら、『遺体の頭部が見つかったんや』と呟《つぶや》いた」と報道されていました。

そのとき、妻がAと一緒に児童相談所でテレビを見ており、「そんなことをAは言ってはいなかったはず」と話していました。

間違った報道をされても、私達には反論する余地すらありませんでした。

●七月二十日（日曜日）

午前六時頃、目が覚めてトイレに行くが落ち着かず。少し眠る。

午前八時頃、関口宏の「サンデーモーニング」で神戸の児童連続殺傷事件を取り上げ、「神戸・衝撃の犯行ノート 聖なる実験の謎」という特集があるのを新聞で知り、私は見ようと思いました。しかし妻から、子供達が一緒にいるのに見るのはよくない、とたしなめられ、見るのをやめる。

午前十時三十分、子供達と三人でサッカーボールを持って明石公園に出掛けました。

午後七時三十分、私は手紙をくれた友人に会いに行きました。

私の生まれ故郷の友達。こんな状況になっても私を心配し、叱咤《しった》激励し、会ってくれる友人達。本当にありがとうございました。心強く思えました。ありがとう。

＊

私は約三十年前、中学を出てから故郷を離れ、就職のため神戸にやって来ました。

友達はその頃からの付き合いです。こんな事になってももう二度と故郷には帰れないかもしれない。Ａにも一生付き合えるいい友達を持ってほしいといつも思っていました。

私はAに中学二年の頃、「高校を出て社会に出るのと、中学だけ出て社会に出るのとでは仕事をしたとき違うよ。会社での職や考え方も違って来るから、Aには高校だけは行ってほしい」と話したことがありました。

頭ごなしに言ったのではなく、自分の経験からその方がいいだろうと思っていました。でも、Aは勉強はまったくダメ。通知表も2ばかりでした。私も人のことは言えませんが、まあこのままでは、Aが高校に行くのはちょっと無理だろうと思っていました。「高校に行かないなら、新聞配達か自衛隊に入ったらどうや」と話したこともありました。Aは内向的な子なので、自衛隊なら私は仕事上付き合いがあり、団体生活で規律面がしっかりしているのを知っていたので、いいのではないかと思っていました。

でも、Aはあまり聞いてはいませんでした。

私も中学のとき、親には高校へ行くように勧められましたが、勉強嫌いだった私は、故郷から早く神戸に出たいという願いが頭にあり、親に何を言われても「何を言うとん？」という気持ちで聞き入れませんでした。

「勉強しとんのか」ぐらいは私もAに聞いてはいましたが、私自身も頭から人に言われるのは嫌いだったので、それ以上勉強を強制したりはしませんでした。

Aは中学の時、卓球部に入ったので、休みの日には時々一家で卓球をしました。

妻は自治会の卓球サークルで練習していたのでAとはいい勝負をし、二人とも結構本気でやっていましたが、私のは卓球と言えず、ピンポンでした。Aは気を遣って打ちやすい玉を打ってくれたりしていました。

Aは体も小さく痩《や》せっぽちで活発な子ではない、どちらかというとおとなしい目立たない子だった。

なぜ、そんなAがあんなことをしてしまったのか？

Aのことを考えると頭が混乱してきました。

●七月二十一日（月曜日）

警官二人が来て、次男と三男にそれぞれ三十分ぐらい、長男が再逮捕された通り魔事件の件で、Aの学校での行動、言動などを聞いていました。

一番気になるのは、祖母（妻の母）の死の前後のAも含め子供達の様子を、警官がしつこく尋ねていることでした。

・誰が一番悲しんだか？

・誰が一番可愛がられていたか？

・誰が一番ショックを受けたか？

あと他にビニールテープがある場所はどこか、と調書を取る。

午後二時過ぎ、妻から子供達と同じく、祖母の死に関する調書を取っていました。祖母の病気、入院、病状。一九九三年四月十六日に死亡したその前後の子供三人の様子はどう変化したか？　変わりはなかったか？

＊

妻の母については子供三人とも可愛がってもらいました。私も自分の母を二十歳で亡くしたせいか、自分の母親にやってあげられなかったことをしたい、と思いながら、つい私自身も甘えていました。

でも、祖母が特に長男Aだけを可愛がった、ということはなかったと思います。むしろべったりだったのは三男で、あの子はおばあちゃんに毎日お茶をいれてあげるなど、一番懐いて可愛がられていた、という記憶しかない。

なんで、こんなにおばあちゃんばかりが出てくるのか？

警察は、なぜ祖母、祖母と、祖母に関する調書ばかり取るのか、まったく分かりませんでした。

＊

午後五時頃、親戚の者が気を遣って外出してくれていたが、戻って来る。でも調書はまだ続き、子供達は疲れている様子だった。それでも私は警察に何も言えませんでした。

午後七時頃、警察は帰りました。

これからあと何日、こんな日々が続くのでしょうか?

●七月二十二日(火曜日)

午前十時頃、事務所で弁護士の先生に会い、子供達の疲れがピークに来ているので何とかしてやりたいと相談しました。

午後十二時五十分、教育委員会の人に電話をする。子供達の今後の転校のことやストレス解消法についての相談をする。

午後四時五十分、警察から私の携帯電話に連絡が入り、傷害暴行及び殺人並びに殺人未遂事件での押収品十四品を返却するとの事(携帯電話は事件後、私達一家の電話が使えなくなったので親戚の名義で購入しました)。

妻と一緒に友が丘の家に行く。

嫌な郵便物が入っていました。

差出人・山本正一

葉書に頭部の絵。「お前たちが交尾してできた化《ば》け物の責任を取れ」

●七月二十三日(水曜日)

午前六時三十分、奈良県・月ヶ瀬村の事件の容疑者逮捕。

亡くなった方の家族、加害者の家族の事を思うと複雑な気持ちでした。今、両方のご家族はどんなお気持ちでいらっしゃるのでしょうか？

午前七時三十分、私の病院へ行く（編注＝父親は十年前から心臓病を患っている）。

午後二時頃、児童相談所に行く。相談所の先生二人、弁護士さん四人と私達とが当時のＡの様子について思い出せることを話し合う。

午後九時二十五分、インターホンが鳴る。女性の記者らしき人でした。

報道陣は連日、入れ代わり立ち代わりやって来ていました。

●七月二十四日（木曜日）

午前十時三十分、警察官が来ました。

七月一日の死体遺棄の押収物の返却四品。その後、連続通り魔事件についての調書を取られる。

警察官の方が厳しい口調でこう言われました。

「捜査で明らかになりつつあることで、親の立場ではなく、人間として被害者の親御さん達に対し、どのように思われますか？　そろそろＡ君の親として、電話なりお詫びをされることを考えていますか？」

私は今でもＡがこんな大それたことをした、とはとても信じられませんでした。

「もし本当であれば、被害者宅にお詫びに行き、許してもらえなくても、誠心誠意謝りたい。でも、何かの間違いであってほしい、という気持ちがどうしても捨てられない」

正直に自分の気持ちを話しました。

「私達警察としては、誤認逮捕ということは、今回の事件ではまずあり得ない。もし、誤認逮捕であれば、兵庫県警は今後存続しないでしょう」

警察官の人はキッパリと話されました。

「お父さん、二月十日、三月十六日の被害者の名前をご存じですか？」

情けないことに、私はハッキリ知りませんでした。

警察の人にお名前を教えて頂き、こうも言われました。

「事件以来、あなた達家族への厳しいマスコミ報道、連日の調書取りなどで、辛く苦しい気持ちは分かります。でも、A君が起こした事件の被害者三家族は、それ以上に長い年月、辛く暗く苦しい日々を送って悲しみに耐えているのですよ」

返す言葉もありませんでした。私達は苦痛を訴えるなどできない立場でした。

午後二時三十分、警察は帰りました。

午後四時頃、インターホンが鳴る。応対しませんでした。

午後十時頃、私は宗教のことは何も分かりませんが、眠る前に布団の中で手を胸の上で合わせ、足は左足を上に組み、お祈りしました。

「神様、仏様。被害者の方々のご冥福を心からお祈り申し上げます。また、お怪我をなさった方が一日も早くよくなられて、心の傷も回復されますように」

「それから誠に勝手だとは自分でも思いますが、私達の家族をお守り下さい。お守り下さい」

私は今でも淳君が三男の名を呼び、「お茶ちょうだい」と家に入って来るような気がしてなりません。なぜ？　涙がとまりませんでした。

●七月二十五日（金曜日）

午前九時頃、弁護士の先生の事務所へ行く。

被害者の方々へ、どのような方法でお詫びをすればいいか相談する。被害者のご家族が初盆を迎えられる前までには、お手紙だけでも何とか出したいと話す。

下の子供達の件は、精神的に落ち着ける場所へやりたいとお願いしました。

午後一時三十分、留置場のIさんから電話で「Aが午後二時四十五分頃、須磨署を出て、家庭裁判所へ行く」と連絡がありました。

午後五時七分、警官のKさんから「Aが家庭裁判所へ着いた」と連絡がありました。

今後、何か相談があれば、須磨署のDさんに電話して下さいとの事。

家裁（編注＝その向いにある少年鑑別所）に送致されたAに、妻と二人で手紙を書きました。

「元気か？　喘息《ぜんそく》はでてないか？　体は大丈夫か？　一度、Aとどうしても会って話したい」

そんな言葉しか書けませんでした。

Aは手紙を読んだら、私達に会いたいと言ってくれるのでしょうか？

●七月二十六日（土曜日）

午前六時三十分、起きてテレビニュースを見る。

「台風九号が接近。兵庫県南部に暴風波浪警報」

午前八時二十五分、友人より「大丈夫か」と電話あり。

午後二時三十分、須磨署のMさんから電話がありました。友が丘の家の隣の人から署に連絡があり、私の家の屋根に設置しているソーラーが倒れて、危険な状態なので何とか処置してほしい、との事。

私はすぐ家に行って処置をしようと思い、友人に連絡し、「手伝ってくれないか」とお願いしました。友人は「遠方にいてすぐは行けない」との返事でした。

しかし、これ以上ご近所に迷惑をかけてはいけないと思い、人目を気にしてはおれず、親戚の者の車で一緒に友が丘の家へ戻りました。

北須磨コープ（編注＝A少年の家のすぐ近くのコープ）前に設置された移動交番車にいた警察官の方に助けをお願いし、私と近所のご主人、警察官の三人で、ソーラーを屋根から庭へ落として処置しました。

手伝ってくださった近所のご主人、警察官の方、本当にありがとうございました。

四時三十分、家に郵便物を持って帰りました。

たくさんの記者たちの名刺と、嫌がらせの手紙が入っていました。

葉書の一枚には差出人「大阪市中央区2―222A―15　朝日太郎」とあり、

「酒鬼薔薇聖斗の実父へ。

あなたの子息は須磨区の小学生連続殺人事件の犯人です。彼は全世界の敵であり、化け物。その化け物を生み、育てたのがお前達である。B（私の名前）よ、責任を取れ」

郵便局職員の方の配慮により、封筒に入れられ、人目に触れることのないように届いていました。お心遣い本当にありがとうございました。

●七月二十七日（日曜日）

午前六時頃、起きてテレビ、新聞を見る。

「鑑別所に収容の中三少年は精神的に安定。弁護士が接見。弁護団が明らかにしたところによると、少年は須磨署にいた時より精神的に安定し、健康状態も良好」

記事を見て、少しはホッとしました。

Aは私達が弁護士さんに預けた手紙は読まなかったと聞かされました。

なぜ、Aは私達に会うのをこうも頑《かたく》なに拒否するのか？

よく分かりませんでした。

このままずっと会わないつもりなのでしょうか。

会いたくてもなかなか会えないAが、元気でいる。息子に面会できない親としては、ただ元気でさえいてくれれば、と安心しました。

●七月二十八日（月曜日）

午後一時七分、弁護士の先生に電話。被害者へのお詫びの件と子供の今後について相談。

先生から、土師さんのお宅と連絡が取れないので、もしかしたら引っ越されたのかもしれない、と聞かされました。

午後一時十五分、妻が友人に電話をし、土師さんの様子を聞いていました。

私達は土師さんご夫妻が病気でもされていないか、とずっと気になっていました。

でも、土師さんのマンションの近くは知っている人ばかりで、正直怖かった。お会いできてもどうしてお詫びをしてよいのやら、皆目見当も付かず、情けない限りですが、やはり怖かったと思います。

土師さんは引っ越しはされていないようでした。

午後三時七分、郵便局に葉書の件でお礼の電話。

午後五時頃、弁護士の先生と事務所で会い、今後の相談をしました。

Aは須磨署から家庭裁判所の鑑別所に移り、家裁では四週間の審理が行なわれる予定。息子は須磨署にいるときより精神的にも安定し、健康状態は良好とのこと。

●七月三十日（水曜日）

午後一時、家庭裁判所で調査官四人に会いました。調査官に「Aが今後、社会復帰して行くため、正しく更生できるように真実を知りたい。そのための調査です」と言われました。

・Aの生い立ち

・性格について

長所―ひょうきんな面もあり、思いやりのある子だと思います。

短所―引っ込み思案で少し神経質な面がある。

・生まれた時の様子など

息子のアルバムや通知表を調査官に見せました。躾についても聞かれました。

＊

報道などでは、私達が厳しく躾けたと書かれているようですが、私も妻も別段、厳しくした覚えはありませんでした。箸《はし》やスプーンをこうして持つのだよ、服はこうやって着る、とやって見せる程度で、私達は親として、あれはしてはいけないよ、とか言いますが、強制と言われるまでのことはしなかったのではないか、と思います。

A本人はいつの間にか出来ていました。

「お年寄りにやさしくしなさい。先生とか目上の人にはなるべく敬語で話すように」

厳しく注意したのは「下の弟を泣くまで苛《いじ》めてはいけない」ということでした。Aは一度怒ると、下の弟が泣いてもなかなか苛めるのをやめませんでした。そんな時は、妻や私がAを叩いて止めていました。私はあまり言いませんでしたが、妻は「宿題ぐらいしなさい」とぐらいは言っていたと思います。

特に妻の躾が厳しかった、とよく報道されていますが、私から見ると厳しいというより「お堅い」というか「融通《ゆうずう》が利《き》かない」という印象がありました。

例えば、Aがタバコを吸っていると先生に注意されたとき、「男の子なら中学にもなれば、タバコぐらい吸い、酒も飲みたくなるのじゃないか」と私は正直考えていましたが、妻は深刻に取り「いけない事はいけない」と話していました。でも、これは女親ならごく普通の反応ではないかと思います。

妻は性格的に物事に対し白黒ハッキリとさせないと気が済まないところがあり、曲がったことや間違ったことが嫌いで、正義感が強いというか、「他人を傷つけたり、苛めたりすることなど、自分が嫌でやらないことは、子供たちにもさせてはいけない」という考えがあり、その点では子供に厳しく注意していたと思います。

でも中学に入ってからは、妻から学校でのことを聞いて、Aへの注意は私が直接していましたから、妻だけが特に厳しかった、ということはなかったと思います。

むしろ、Aと妻の関係は私よりよかったと思います。

中学に入っても台所にいる妻に、「母さん」と妻のお尻をAが叩く真似をしてちょっかいを出したり、一緒にテレビやビデオをよく見て話をしたりしていました。

私とAは趣味の好みが違い、中学ぐらいからあまり話が合いませんでした。

私が見るテレビはニュース、ゴルフ、よく見る番組は「水戸黄門」「生きもの地球紀行」で、映画などビデオはほとんど見ず、流行りの映画や歌謡曲も知らず、ナツメロ好き。

そんな私を見るとAも含め子供たちは、「おっさん、何しとるの」とよく冷やかしました。

私の好きなテレビ番組で、Aが中学に入ってから一緒に見たのは「裸の大将」ぐらいでした。最後のシーンで、Aが目に涙を浮かべていたのを覚えています。それからAは、ふざけて主人公の吃《ども》る真似をしたりしたことがありました。「そういう真似はよくないぞ」とAをたしなめた記憶があります。

私は家の中にいるより、ゴルフの練習とか外に出て行く方が好きで、Aにはもっと外で運動してほしかったのですが、Aはスケートとかに誘ってもあまり来ませんでした。

私は報道されていることや警察に何度も聴取された、「祖母の死」がどうAへ影響したのかもピンと来ませんでした。というより、よく分かりませんでした。

＊

「裁判所としての取り調べ期間は四週間ほど必要です。が、精神鑑定が恐らくあるので、A君がそのために入院することになれば、鑑別所にいる期間が長くなります。それでもいいですか」と最後に調査官から聞かれました。

精神鑑定と言われても、私達は一体何をどうすることなのか見当もつかず、「はあ」と生返事《なまへんじ》を繰り返していました。

●七月三十一日（木曜日）

午前十一時十分、おかしな電話がありました。

電報局の人からの電話で、妻側の親戚から妻宛に、身を寄せている親戚宅へ電報が来ていますが、どのように配達しましょうか、という問い合わせでした。

念のため出した側の親戚に確認したら、電報など一回も出していないという返事。

これもマスコミの取材だろうか？

午後三時頃、別の親戚に頼んで来てもらい、私達がいない間子供達と留守番をお願いしました。私達は先生の事務所へ。

午後四時二十七分、留守番に来てもらった親戚がインターホンが鳴っても応対しなかったら、居るのが分かっているのか、しつこくノックしたり、ドアのノブをガチャガチャさせたり、「ジャーナリストの××ですが少し取材させて下さい」と何度もインターホンを鳴らしたそうです。

「また来ます」と言って帰ったので、気を付けた方がいい、と親戚が注意してくれました。

午後五時三十分、弁護士の事務所で、ある心理カウンセラーの先生とお会いし、精神鑑定の説明などをいろいろお伺いしました。

●八月一日（金曜日）

午前七時頃、私の兄弟から電話があり、家にもおかしな手紙がよく入っているので、携帯電話をあまり使用しない方がいいと思う、と言われました。

午後四時十分、インターホンが鳴る。

午後六時頃、妻の親戚が、私達が身を寄せている親戚の家に来る予定になっていたので、インターホンが鳴ったとき、私は相手を確認せず玄関のドアを開けてしまいました。すると、いきなり報道関係らしい女性の方と顔が合い、びっくりしてすぐドアを閉めました。

●八月二日（土曜日）

午前八時頃、家族四人で墓参りに行きました。妻の父の命日。

被害者の方々、世間の人々、ご先祖様、私達の息子が大変迷惑な事件を起こし、申し訳ありません。一時は一家で首を吊って死のうかと迷いましたが、弁護士の方々その他親戚、友人などの温かく、力強い励ましに支えられ、今日まで何とか生きて来ています。ありがとうございます。

●八月四日（月曜日）

午前十一時二十分、家庭裁判所でAの第一回目の審判が行なわれたと、テレビが朝から何度も報じていました。

Aの第一回審判の日程は数日前からテレビの報道で事前に漏《も》れてしまっており、裁判所は当日は大混乱が予想されるため、私達親は出頭しなくてよいと承諾済みだったので、今日は出席しなくてもいいと弁護士の先生から言われ、家にずっといました。

テレビは今後の審判は息子の精神鑑定が終わるまで延期され、六十日後の十月六日に再び審判が行なわれることになり、審理期間は二十八日間になると報じていました。

弁護士の先生方が付いておられるとはいえ、Aは一人で大丈夫なのでしょうか？

午後二時頃、弁護士の先生に電話し、被害者の方々への謝罪など対応を話し合う。

午後四時頃から九時頃までずっとインターホンが鳴る。雑誌社などのようでした。

午後九時三十分、次男の学校の荷物をどうするか、弁護士の先生より電話がありました。

●八月七日（木曜日）

午前六時半頃、今日は子供達が避難するために県外へ出発する日でした。私が友人と飛行場まで送って行きました。

飛行機の出発まで時間があったので、子供達と付き添いの弁護士の先生と四人で喫茶店に入りました。三男はジュースをひと口飲むとすぐにもどしてしまいました。やはり、親と離れて暮らすことに不安が募《つの》り、緊張している様子でしたが、二人とも泣いてはいませんでした。あまり二人は話しませんでした。

子供達はある施設で数カ月の間、合宿生活を送ることになっていました。

弁護士の先生に付き添われ、出発ゲートの方へ消えていく二人の後ろ姿を見送りながら、ホッとしたような寂しいような気分がしました。

どうか、めげずに元気で戻ってきてほしい。

午前九時頃、教育委員会の方に次男の学校の荷物の受け取りの件でお礼の電話をしました。そして、弁護士事務所まで委員会の方に荷物を持って来て頂き、私はその荷物を事務所に取りに行きました。

午後三時三十五分、弁護士の先生より、家庭裁判所への呼び出し予定が、八月十四日、八月二十日と告げられる。

午後六時二十三分、弁護士の先生から子供らが無事に着いたとの電話を頂きました。

●八月十一日（月曜日）

午前八時頃、被害者のご家族へお詫びの手紙を書く。最初は手が震えて字が書けず、読めない文字ばかりが並んでいました。きっちりした手紙などほとんど書いたことがなく、私も妻も辞書と本を見ながら、一生懸命何度も何度も書き直しましたが、お詫びの気持ちの百分の一も文字にすることができません。

子供達から電話がありました。元気にやっているようでした。

午前十一時頃、妻が家裁へ。

午後三時三十分、子供達の置いていった緑亀の水換えをする。この亀だけは子供達がどうしてもと聞かず、友が丘の家からAが逮捕された時に持ってきたものです。亀はAも含めた子供らの宝物でした。

友が丘の家の庭で水槽の水換えをする時、子供らは庭の隅に小さな砂場を作り、トンネルを掘ったりして亀を置いて遊んでいました。

そんな時、淳君も一緒にいたこともありました。

Aは、淳君を「亀を見に行こう」とタンク山に誘い出したそうです。

亀を見ていると、複雑な心境になります。

●八月十四日（木曜日）

午前十時三十分、弁護士の先生と家庭裁判所へ。

「今後、Aと腹を割って話をし、私達夫婦も反省すべき点は反省し、ゼロから家族五人でやり直したい。

今後、とても暗い、人には言えない辛い生活になると思いますが、家族五人で頑張り乗り越えて行きたい。

今回力になって下さった弁護士の先生方、親戚、友人の方々に、何もお礼といえる程のことは今の私達にはできません。だから、せめてその方々へのお礼の意味でも、人生から逃げず、被害者のご家族へキチンとお詫びをし、一生かけてでも謝罪していきたい」

私達は調査官の方に申し上げました。

●八月十五日（金曜日）

午前六時頃、被害者のご家族へのお詫びの手紙を出しに行きました。何回も失敗した上、弁護士の先生に添削《てんさく》していただいて書き上げ、ようやく出すことができました。

その後、子供達の亀の水換えをしました。

夕方頃、どこか近所から盆踊りの太鼓の音が聞こえてきました。お盆は亡くなった方の魂が家に戻って来る時といいます。胸が詰まる思いがしました。

土師淳君、山下彩花さんのご冥福を、ただただお祈りします。

本当に申し訳ありませんでした。

お怪我をされたお子さま方の心の傷が、一日も早く回復しますように……。

心よりお祈り申し上げます。

●八月二十日（水曜日）

午前六時五十五分、マスコミの人が駐車場にいたため、親戚の車で早目に家裁へ行く。家裁で心理テストを受ける。私は家、木、男と女の絵を描かされました。「こういう場合、あなたはどうしますか？」という質問の心理テストも受けました。ですが、その結果は知らされていません。

心理テストなど初めてのことで、正直困りました。

帰り道でずっと考えごとをしていました。

やはり手紙ではなく、私だけでも、殴られても蹴られてもすぐに土師さんのお宅には行くべきでした。

では、これから土師さんのお宅を訪ねる勇気があるのか？

考えただけで足がすくみ、動かなくなる有り様でした。私には勇気がありませんでした。

土師さんのお宅へ今頃ノコノコ出向き、何を話せばいいのか？

やはり怖い。どう反応されるか想像できず、怖かった。

私は、Aの父親としてあまりに不甲斐なく、勇気がなさ過ぎました。

すいません。すいません。

涙を堪《こら》えることができませんでした。

●八月二十六日（火曜日）

私達は疲れ気味で、私は頭が石のように重く、家で終始ゴロゴロしていました。

私は体調が悪く、水みたいな血便が出る。

いつまでも親戚の家に迷惑をかけ、居候する訳にもいかず、家を探してはいましたが、なかなか貸してくれるところが見つかりませんでした。

住民票は出せない、家賃はあまり出せないでは無理もありません。

今後、私達家族が生きていく世間の目の厳しさを実感しました。

今後どうやって、生きていけばいいのか。漠然と不安を感じていました。

●八月三十日（土曜日）

午前十時頃　弁護士の先生の所へ行く。

帰りに友が丘の家に寄り、荷物をまとめ家の中の整理をした。

Aが六月二十八日に逮捕され、家の中はカビ臭くなっていました。家宅捜索後のままで、グチャグチャになっていました。

荒れ放題のわが家を見ると、虚《むな》しく悲しい。

もう二度とここに住むことはないでしょう。

どこに何があるのか分からず、整理するのは大変でした。

報道関係の記者からたくさんの手紙が来ていました。

午後十二時頃、無言電話。

午後八時頃、雑誌社の人が来て、インターホンを鳴らす。

＊

●八月三十一日（日曜日）
午前五時頃、どこか北側の山の方で火事があったようで、消防車のサイレンの音で目が覚めました。起きてニュースを見る。ダイアナ元皇太子妃が交通事故により死亡。


九月末になり、ようやく私達夫婦はAに鑑別所で会うことができました。

Aが私達を睨んだあの目を、私は一生忘れることができないでしょう。

どれだけAが自分を憎んでいるのか分からないけど、たぶん我々家族のしていたこと全てが憎かったのではないか、と思わざるを得ない目でした。

言葉でどう表現すればいいのか分かりませんが、なぜAは私達家族が憎いのか、軽蔑《けいべつ》しているのか分かりませんが、何らかの憎しみの感情を持っていた。だから、これまで会わなかったのだと思います。これは誇張して言っている訳でもなく、悲観的な見方をしているのでもなく、恐らく事実でしょう。

なぜ、憎いのか。それはAと話せるようになるまで私には分かりません。

私は神戸の少年鑑別所でAと会った時、Aが私達を泣きながら怒鳴り散らすというあまりの豹変ぶりを目《ま》の当たりにし、

〈やはり事件は自分の息子が犯人だった……〉

信じたくなく、認めたくはなかった事実でしたが、そう実感せざるを得ませんでした。

Aは面会の後、妻とだけは「会いたい」と言いました。存在を無視された父親としては、「何やコイツは」と正直少しショックでもあり腹も立ちましたが、Aはやはり母親が好きだったので無理もないと考え直しました。

審判中、Aは口を開けば、「早く終わってほしい」と言い、「僕を騙《だま》したあの警官は今、どうしているのですか」と反省する素振りは全く見せず、騙されたことに腹を立てていました。（編注＝兵庫県警捜査員がA少年を連行したとき、犯行声明文の筆跡とA少年の筆跡の鑑定結果がまだ出ていなかったにもかかわらず、あたかもピッタリと一致したというように説明し、声明文とノートを見せて自供を迫り、A少年は観念して自供した経緯がある）

私達の存在も終始、無視していました。

審判終了後、弁護士さんからAとの接見メモを読ませてもらい、ああAは私達をうまく騙していたことも随分ある、と今更ながら悔しい思いをしました。

Aは府中の関東医療少年院に行った後も、我々に会うことを拒否し続けています。会えると思って新幹線に乗って、東京・府中まで妻と急いで出かけやっとたどり着いたら、「会わない」と断られた時もありました。

正直無理に引きずり出してでも会い、「お前、何でや。何でや」と思いっきり殴り飛ばしてやりたい気持ちになることもあります。決して息子が憎くて言っているのではありません。Aは自分より小さい、疑うこともまだ知らないお子さんの命を、次々に理由もなく酷い方法で奪ったのです。卑怯な息子の行為は、親でもとうてい許せるものではありません。

でも、私はAばかりを責め、怒ることもできません。

なぜ、私たちは気付かなかったのか。我が子のことなのになぜ分からない、分かってやれなかった。それが私達にとって、一番悔しく情けなくて……。Aを怒る資格もありません。

Aは自分の息子です。あんな凶悪な事件を起こしても、怖いとも思わないし、憎いとも思えません。見捨てようとも思いません。

でも、息子がやった行為を考えると、被害者の方々には死んでお詫びするしか方法がないのではないか、その方がいいのではないか、と正直何度も思い悩むこともあります。

息子は生きていますが、被害者の方々の掛けがえのない命は永遠に戻ってきません。やり切れない、永遠に変わることのない事実があります。

私が死んで被害者の方々の気持ちが少しでも和らぐのであれば、いつでも死にたい。卑怯かもしれません。でも、お子様の命は何をしてでも償って償い切れるものではありません。今でもふっと死にたいと思う瞬間があります。

でも、ここで自分が踏ん張って頑張らないと、私が死んだら下の弟達はどうなるのか。誰がご遺族の方々にお詫びをしていくのか。弟達に、これ以上重荷を背負わせる訳にもいきません。私と妻でAの罪を共に背負って、許して貰えなくても生き長らえながら、その間に精一杯のことをやらせて頂くしか道はありません。

「我々が死んだら、誰がお詫びすればいいのやろ？」

妻とよく話すことがあります。

立ち直れるか分からない愚かな息子ですが、やはりAを被害者の方々の家へお詫びに連れて行くまでは、死んでも死に切れないと思います。

満足なお詫びもできない不甲斐ない親が戯れ言《ざごと》を言っていると軽蔑されても、私達ができることはそれしかありません。

本当に申し訳ありませんでした。ただただご冥福をお祈りさせて頂きます。

Ⅲ　淳君の行方不明と私達

一九九七年五月二十四日、土師淳君は近所の祖父の家に行くと言って自宅を出たまま、行方不明になった。午後八時五十分に淳君の家族は須磨署に捜索願を提出、翌二十五日より、警察、PTAや近隣の保護者などが捜索に参加、公開捜査に踏み切るが、二十七日早朝、淳君の遺体の頭部が友が丘中学の校門前で発見された。一方のA少年は、淳君が行方不明になる十日前の五月十五日から友が丘中学に登校せず、母親と共に神戸の児童相談所に通い始めていた。

逮捕後、父親はA少年の警察の事情聴取に備え、当時の家族と息子Aの様子を、日付順に振り返り、日記風にまとめた。以下はその手記である。

Aは五月十三日、同級生の友達（男子）を公園に呼び出し、自分の拳《こぶし》に時計を巻きつけて殴り、歯を折るなどひどい怪我をさせました。

翌十四日に学校から呼び出しを受け、下の子供の用事で都合が悪かった妻に代わり、私が夕方、学校へ向かいました。その日、会社を休んで病院で診察を受けていたので、少し約束の時間に遅れて到着しました。

「何でお前、友達を殴ったんや」

職員室へ入り、先生と一緒にいたAの姿を見て、私は尋ねました。

Aは肩をガタガタ震わせ泣いていました。

その友達とAは昔から仲が良く、私も知っている子でした。それなのにAは、「自分の悪口を言ったアイツが憎く、仕返ししてやったんや」と泣きながら言い、怒りで手が付けられない感じでした。

「お前、あの子と友達と違うんか」

その後は、何を聞いてもAは一言も喋らず、ただ泣くばかりでした。

生徒指導の先生からは、Aの鞄《かばん》の中に入っていたタバコ、小刀を見せられました。

小刀は、中学に入ってからAが部屋に隠し持っていたのを、私が二度ほど見つけて取り上げたことがあり、Aはその度「友達のを預かっているんや」と言い訳をしていたと記憶しています。

小刀はそのとき取り上げたものと同じような形でした。

Aは肩を震わせて泣きじゃくっているのに、目が虚《うつ》ろな感じなので、私は心配になり、「今日はちょっと様子がおかしいので、家に連れて帰ります」と、先生方の許しを得て、Aを家に連れて帰りました。

そして家で妻と相談し、学校をしばらく休ませ、様子を見ることに決めました。夜になって、妻に学校へ報告しに行かせ、その場で先生に児童相談所を紹介してもらい、Aをそこへ通わせることにしました。

その夜、私と妻とAの三人で怪我をさせた同級生のお宅に謝りに行きました。

その後、Aに「あの子はお前の友達やないのか？　友達にあんな真似をして」と尋ねると、Aは「違う」と言いたげな様子でした。しかし、親の目から見て、その子はAの親友と呼べる友達だったと思います。

「Aが身体障害者の子供を苛めていた」と、その子が塾で言いふらしたとAは話しました。

その時点では、Aが「犯行ノート」に「アングリ（聖なる儀式）を遂行する第一段階として学校を休むことに決めました」と書いていたことなど知る由もなく、私はただ単純に友達とケンカし、「何かあったのかな」と心配していました。

●五月二十四日（土曜日）——淳君が行方不明になった当日

午前八時頃、会社が休みなので私は起きてシャワーを浴び、庭の草むしりをしていました。

昼頃、親戚が車を洗いにやって来たとき、Aが庭の南の土手の方へ歩いて出掛ける姿を見た、と言ったのを覚えています。

私は午後一時頃から三時頃までパチンコをし、家に戻りました。

五時半頃、土師淳君のお母さんから、「お宅に淳が行ってない？」と妻に電話がありました。

妻は淳君が来ていなかったか、淳君の友達だった三男に聞き、三男が「ここ最近は家には来ていない」と答えたので、妻は土師さんに「ここ最近は家には来てないようよ」と話していました。

妻が「淳君、どないしたん？」と尋ねると、「いやー、帰ってくるはずやのに帰ってないねん」と土師さんが心配されていたと言って、妻は近所の公園へ二十分ほど淳君を探しに行きましたが、見つからなかったと言って帰ってきました。

七時頃、夕食の準備を終えた妻と相談し、私も三男を連れてもう一度車で淳君を探しに行くことにしました。

Aはその時は家に戻っていました。

出掛ける前にAと次男に、「ご飯食べてお風呂に入っとき」と声をかけ、「淳君を探しに行ってくるわ」と出掛けました。

Aはその時、お風呂に入る準備をしていたと思いますが、出掛けにちょっと会話しただけなので、Aのその時の詳しい様子はあまり記憶にありません。

外は雨でした。私達三人は車で出て、まず「グリグリ公園」「パンダ公園」の砂場、土管の中などを探し回りました。

アベックが雨宿りをしていたので、私は「小学六年生ぐらいの男の子を見かけませんでしたか」と聞くと、「見ませんでした」と言われました。

次に友が丘中学の近くの神戸大付属の医療短大の横を通り、育英高校のグラウンド方向に行って、道路端の茂みを懐中電灯を照らして妻と三男とで歩き、「淳くーん」と叫びながら探しました。

それからもう一度、車に乗りタンク山の下の道を回り、ミニコープ裏の公園を探しました。八時頃、やはり見つからないので、妻が土師さんのお宅に電話を入れました。確かご両親は探しに出ておられ、ご長男が出られたと思います。

もう少し探してみようということになり、奥の公園に行きテニスコート近くに車を停めて、近くにあった物置小屋なども念のため探してみました。淳君が怪我でもして雨宿りしていないか、と思ったのです。

結局見つからず、妻が八時半頃、もう一度土師さんのお宅に電話しました。

十時頃、三人とも疲れたので家に帰りました。

妻は寝る前に、必ず子供達の部屋を覗いていました。その日もAの部屋も覗いていますが、その時も別段変わった様子はなかったようでした。

●五月二十五日（日曜日）

午前八時頃、私と三男は、淳君をもう一度探しに行きました。

三男と私が行動を共にしたのは、もし私が淳君を見つけたとしても、私には淳君が付いて来てくれないのではないかと心配し、時々遊んでいた三男に「一緒に行ってくれ」と頼み、三男はもちろん「行く」と言ってくれたからでした。

車で友が丘中学の西側を回り、育英高校、北須磨高校の北側に出て須磨パテオへ行きました。その信号の前で多井畑《たいのはた》小学校の先生を見かけ、三男と「先生も朝早くから探し回っているんやなあ」と話したのを覚えています。

昨日の夜回った奥の公園に行く途中、淳君のお兄ちゃんともすれ違いました。

お兄ちゃんが心配そうに探し回っている様子を見て、私達も奥の公園をもう一度丁寧に探してみました。

午前九時半頃家にいったん帰り、お茶を飲みました。その時妻が「淳君はご両親と奥須磨公園に行ったことがあるはずやわ」と思い出したので、十時頃また私は三男と二人で、今度は自転車で奥須磨公園まで探しに行きました。

三男は次男の自転車に乗り、私はAのグレーの自転車に乗っていました。

妻はその後、美容院に行ったと思います。

十一時半頃、喉《のど》が渇《かわ》いたので休憩しようと、私達は北須磨コープに行きました。

コープの前で長男のAと会いました。

Aは「自転車を交換してくれ」と私に言いました。

私は周りが一生懸命探しているこういう時、Aがあまりに捜索に無頓着なので、

「お前、どこ行くんよ」

と尋ねました。

「ビブロスに行く」とだけAは答え、その方向へ交換した自転車で走って行きました。

私と三男はコープでパンとジュースを買い、パンダ公園で食べ、十二時半頃、チョコレート階段を上ってタンク山の頂上まで行きました。

年配の男性が私達より先に、頂上へ来ていました。

私達はしばらくして山を下りましたが、コープの前で今度は淳君のお母さんと出会いました。遠目からでもお母さんが心配げで寂しそうな表情をされているのが分かりました。

会釈《えしやく》だけして、私と三男はいったん家に戻りました。

美容院から家に戻っていた妻にその話をすると、すぐ土師さんに会いに出かけました。

妻は途中で土師さんのお友達と合流し、その人と一緒に淳君の写真を持って向かいの高層住宅を回ったそうです。

それから妻らは多井畑小学校へ行き、バス停にも写真を貼ろうとPTAで話し合い、夕方頃に家に戻ったそうです。

私たちは三時頃、少し休憩し、今度はパテオの方向から竜が台を回り、タンク山の北側から山の中に入って、二人で「淳くーん」と叫びながら探しました。

「ドラえもんがこういう時、本当におったらええな」

三男とそんなことを話しながら探しましたが見つからず、今度はその南側の坂道を上り、中学校の北側を回り、五時頃家に帰りました。

その後でAも一緒に家族五人揃って夕食を食べました。その日は当然、淳君の話題が上ったと思いますが、特にAに変わった様子はなく、全く記憶に残っていません。

●五月二十六日（月曜日）

午前五時半頃、妻は起きて朝御飯の準備。四十五分頃、私は食堂に下りて行って朝食をとり、六時二十分頃、妻に車で名谷駅まで送ってもらい、会社に出勤しました。

ここのところ、仕事が忙しかったので、毎朝妻に駅まで送ってもらっていました。

妻は前日に決まった土師さんのお宅の電話当番をするために、九時十五分頃家にいたAに声を掛けて出て行ったとのことです。

Aは別段変わった様子はなかったようです。

午後二時半頃、雨が降っており、妻は一緒に電話番をしていた方から傘を借りて家に戻り、少ししてから友が丘中学の生活指導部の先生が、Aの家庭訪問にこられたそうです。

「A君。最後の修学旅行やから皆と一緒に行ったらどうや。もう一度考え直してくれ」

先生はそんなことをおっしゃり、Aに尋ねたそうです。

Aはぶっきらぼうに応対し、黙っていたそうです。

Aの様子をきかれた妻は、家で口数が少なかったAが、学校を休むようになってから、前より居間に下りてきて、私達と一緒にたわいもないテレビ番組の話をするなど、自分から喋るようになったと報告したそうです。妻と私もAの変化を喜んでいました。

この時のAの様子が、おかしかったという報道があったようですが、妻の目から見てそんな印象はなかったそうです。

私が家に帰ってAを見ても、様子がおかしいとは思いませんでした。

●五月二十七日（火曜日）――淳君の遺体の頭部が友が丘中学の校門で発見された日

午前五時半、妻はいつものように起き、私は会社へ。

六時半頃、妻が私を名谷駅へ送った後家に戻ると、いつも午前十時頃に起きて来るAが珍しく早起きし、二階の部屋から台所に下りて来ていたそうです。

この日妻と長男は、ハーバーランドの児童相談所に行く予定でした（初日が五月十六日でこの日は二回目）。

妻は当日、淳君のニュースを聞いた時の様子をこう話していました。

「昼前頃、私の方が面談が先に終わっていたので下でAを待っていると、テレビのニュース画面にウチの団地（友が丘）が映り、『淳君の頭部が友中の校門で見つかった』と報道されているのを見て、足がガタガタ震えた。家へ電話して下の子供らに、『戸締まりをちゃんとするように』と注意し、急いでAと家に帰った」

「早よ帰ろ。怖いから」と妻はAに言い、Aは特に驚いた様子もなく、変わった様子も見せず、「ウン」と一緒に帰ったそうです。

私は会社から帰った七時頃、このニュースを知りました。

子供達は三人とも驚き、興奮していましたが、Aはあまりこれと言った変化はなかったように思います。

逆にAが何らかの反応を家族の前でしていたら、何か気付いたかもしれません。

妻は毎夜十一時頃に、子供達の様子を覗きに行ってから寝ますが、その夜もAは私達二人の目から見て変化はありませんでした。

●六月一日（日曜日）

午前九時半頃、ゴルフセンターに打ちっぱなしに行き、戻ってから向かいの家の草むしりを済ませ、妻と二人でついでに自宅前の土手の草刈りもしました。

この時、私達は事件の犯人がAだとは夢にも思ってもみなかったので、隣のご夫婦と事件について一般的な世間話をしたと思います。

●六月五日（木曜日）　妻とAは児童相談所へ。

●六月九日（月曜日）　妻とAは児童相談所へ。

●六月十一日（水曜日）

私と妻で児童相談所へ行く。

「なぜ息子は学校へ行きたくないのか、原因がさっぱり分からない。Aは何を考えているのか、私には正直よく分かりません」

児童相談所の先生に自分の気持ちを話しました。

Aは児童相談所へ通っていた間、私の目には変化はなかったと思います。通り魔事件や淳君の事件が立て続けに起こり、この地区の警備は物々しくなり、物騒に思えたので、私は子供達三人、もちろんAにも、「気をつけなあかんで。夜遅くまで外を出歩かんように用心しろ」と注意していました。

●六月十四日（土曜日）

時間は覚えていませんが、この日、家族全員で土手の草刈りをしました。

私は土手の斜面を刈り払い器で草を刈り、妻と次男、三男は刈った草を集めていました。

私はAに、「嫌やったらお前せんでええで」と言いましたが、Aは嫌々ながらも外に出て来ました。

「下の弟はまだ小さいから、お父さんと一緒に向こうやるわ。A、お前は突き当たりの木を頼むわ」

と言うと、Aは家の玄関を出て左の突き当たりの土手の植木を、大きい枝きりバサミで切っていました。

一、二時間ほどで草刈りを終え、近所のおばあちゃんからお礼にと缶ビールを頂き、家に帰ってから飲みました。とてもおいしかったです。

＊

私達が土手の草刈りをしていたことは、事件のカモフラージュではないか、と憶測する人もいるようですが、そんなつもりで私達は草刈りをやっていた訳ではありません。

草刈りは、私が土手の下の広場でゴルフの素振《すぶ》りの練習をするため、以前にやり出したのがきっかけでした。もう何年も前からやっており、恒例になっていました。

私達の家の周りは年配の方々が多く、やさしく親切な方ばかりで、私達が引っ越してきた当時も、隣家の年配のご主人が、道路端の草を毎日のように刈り、花を植えて綺麗《きれい》にされていました。お隣の奥さんも枯れ木に登って枝を切り落とし、綺麗に掃除されていたので、それを見習い、まだ若い私達も暇な時間を見つけて始めたことでもありました。

過去にこの辺りで二回も火事騒ぎがあり、道端は草をきちんと刈っておかないと物騒だと思ったことも、草刈りをやるようになったきっかけでした。

●六月二十四日（火曜日）

妻から児童相談所の先生が家庭訪問して下さった、と聞きました。

先生はAの部屋に行き、Aと二人で打ち解けた様子で話され、後で妻に、「お母さん、

A君だいぶいい傾向ですよ」とおっしゃったそうです。

妻はAの不登校をかなり心配していたので、私達二人は喜んでおりました（編注＝Aの不登校の様子は五章で後述）。

●六月二十五日（水曜日）この日は休みをとり、仲間とゴルフへ出掛けました。

●六月二十六日（木曜日）会社へ。記憶は特になし。

●六月二十七日（金曜日）普段通り会社に行く。

●六月二十八日（土曜日）Aが逮捕される。

四章

小学校までの息子A

〈母の育児日誌と手記〉

I　初めての子Aの誕生

あの子が生まれたのは一九八二年の七月七日、七夕《たなばた》の日でした。私たち夫婦にとっては結婚二年目に初めてできた子供です。嬉しさ半分怖さ半分の出産から育児の日々を、私は育児日誌に記していました。今あらためてそれを開いてみると、最初のページに息子Aの命名の由来が載っていました。こうあってほしかったのに……、悲しみがこみ上げてきます。

命名の由来「真実を見極める子に育つように！」（父、母）

一九八二年七月七日――生まれた日の日誌

朝四時半頃、容体が少しおかしいので、病院に電話したら、当直の助産婦さんが出て

「内診します」との返事。お父さんの友人の車（当時、我が家には車がなく、夫が同じ社宅に住んでいた友達を起こしてくれた）で病院に行きました。

内診が済むと「すぐ、入院して下さい」と言われ、お父さんも私もびっくりしましたが、すぐ分娩室に入った。それが午前五時半。Aはその四十五分後、六時十五分に生まれました。

少しずつ陣痛が始まり、苦しかったけど、すぐ生まれてくれたのでラッキーでした。

Aのオギャーという声を聞いた途端、気を失いそうになりましたが、看護婦さんが綺麗にしてくれた赤ちゃんの顔を見ると目眩《めまい》がし、意識はあったけど、何をしているか分かりませんでした。

〈生まれた時の健康状態〉
体重　三二〇〇グラム
身長　四九・〇センチ
胸囲　三二・〇センチ
頭囲　三三・五センチ

お父さんは生まれたばかりの赤ちゃんを見たのが初めてで、「Aの顔はなんか紫色に見えた」と言ってたけど、元気に五体満足に生まれてくれた、とホッとしていました。

Ａはくしゃくしゃしてましたが、お母さんは「なかなか可愛い顔してるな」と思いました。やはり、自分の子だけはそんな風に思うんやね。

＊

〈産前から産後まで〉

Ａが生まれたときは、神戸市北区のお父さんの会社の社宅で、お父さんと二人だけの生活でした。お父さんとお母さんは平凡な見合い結婚。その後、二年にしてやっとできた待望の長男なのです。

最初、子供がなかなかできないのでおかしいなと思いながら、まぁ仕方ない。でも、お母さんもお父さんも結婚が遅かったので（当時二人とも三十歳）待ちきれなくて、赤ちゃん用の洗面器とかも買って、入れる準備までしていました。

そしたら、おばあちゃん（私の母）に「そんな準備するから子供ができないんや」って言われて、それを一度全部捨てて、赤ちゃんのできるのを待ち侘《わ》びていました。

それでようやくできた、と分かったときは、もう嬉しくて嬉しくて。

お父さんなんか、心配しすぎて、自分までつわりになってしまいました。ムカムカすると夏みかんやレモンを齧《かじ》りだしたり……。そうそうご飯の湯気も気持ち悪いとか言いだして、最初はお父さんがお酒を飲むから肝臓でも悪くしたのか、と思ったほどでした。

でも、お母さんはつわりとか全く平気でした。

前日まで食料品の買いだしやら、洗濯、掃除で動き回っていたので、陣痛とかもそれほど感じませんでした。

お父さん家《ち》は八人兄弟やけど、子供は女の子ばかりだったので、お父さんはとにかく「男の子がほしい」ということで頭が一杯でした。

そしてAが生まれ、お父さん、お母さん、田舎のおじいちゃん（夫の方）、神戸のおばあちゃん（私の方）や皆、本当に、本当に大喜びでした。

おじいちゃんはあんまり嬉しくって、鹿児島の田舎から出てきてくれ、一カ月ほど三Kの狭い社宅で一緒に暮らしたほどです。

＊

〈産後の私の健康〉

「産後はいちばん大事や。産後を乗り切ったら、あとも健康でいられる」という母の勧めで、実家（友が丘の家。当時は私の母と姉夫婦が一緒に住んでいた）に二カ月ほどいることになりました。

食事の準備も掃除、洗濯も一切しなくていいので、毎日非常にのんびりとした気持ちで過ごしています。子供の世話だけでよいので非常に楽。

食欲もあり、何でもおいしく食べ、よく寝て、至って体の調子は良好。

●七月十四日
Aはご機嫌《きげん》である。よく寝る。笑うと右頬にえくぼが出る。人の気配を感じたら、抱いて貰おうと思って少し泣く。様子を見ていると、また寝てしまった。

●七月十九日
朝、三十六度九分の熱があった。でも、母乳はよく飲む。心配なので病院へ連れて行こう。異常なし。臍《へそ》の緒《お》を消毒してもらった。

●七月二十二日
お風呂に入れても寝付きが悪いようだ。どうしたのかと思ったら、顔に汗疹《あせも》が出ていた。Aももう、何でも一人前である。

●七月二十三日
朝、風呂に入れた。気持ちがいいのか、お乳を飲ますと寝てしまう。Aは気遣いなのか、寝る前にいつものように、愛想笑いをする。日に日に大きくなる、と皆が言うけど、毎日側で見ていると分かりにくい。

●八月五日

今日初めてトイレでウンチさせた。なるべく早く、そういう習慣を付けよう。

一カ月検診へ。母子ともに順調。

●八月の経過――友が丘の家で

Aと私は実家。お父さんは一人で社宅に戻って、会社に行く。

でも、仕事が終わるとお父さんは毎日、Aの顔を見にやって来る。

皆、それはもうAを可愛がり、Aには生まれた時からきっちりと抱き癖が付いてしまった。おばあちゃん、姉夫婦、Aの従兄弟《いとこ》たち、お母さんの誰かがずっとベッドの側に付いて、Aがちょっと動いても、「あ、今動いたわ」と誰かが居間や台所へ報告しに来て、今度は報告された人が、「どれ、どれ」という感じで、また見に行く。

いつも、常にAのベッドの周りに人がいる。

その動作ひとつひとつ眺めては「ほおー」と感動し、Aは誰かが抱いていないと、ずっと泣き止まなくなってしまった。

ちょっとビーと泣き声がすると、「どうした、どうした」と誰かがパッと駆け寄って抱き上げ、手がだるくなると、「次は抱くわ」と交替交替で、子供（Aの従兄弟）たちまでが泣かしたらあかんと抱き、久しぶりの赤ちゃんの誕生を喜ぶ。

●四カ月の記録

卵でジンマシンが出る。顔が真っ赤になり、目が腫《は》れたので、急いで病院へ行った。するとー時間ほどでひいた。便は一日平均一回。時々、二回。

●五カ月の記録——十二月二十六日

湯上がりに牛乳を飲ませたら、すごくもどした。飲ませ過ぎたのかもしれない。今年の風邪はもどすらしい。少し様子を見て病院へ行こう。

夜中、少しぐずる。

何でも手で摑《つか》もうとし、口に持っていこうとする。離乳食は牛乳、スープを主体にして食べさせる。パンがゆ、フレークスがゆ、じゃがいもを潰《つぶ》して牛乳でといたもの。

●六カ月の記録——一月十六日

五日ぶりに便をした。Aは子供がするような立派な便を初めてした。三十分ほどし、また、たくさんする。

この頃、離乳食を大分、食べるようになった。小さじ五杯ほど食べるようになったので、とても嬉しい。

●二月六日

下の段の真ん中辺りに歯が生えはじめた。

時々、タイミングよく、Aは「いない、いない、バー」をしながら、立とうとしてきた。

一月三十日から二月五日まで鼻風邪をひくが、軽くて済む。二月五日、六日の午前二時から三時半頃まで夜泣きをした。散歩に出られなかったせいだろうか?

●七カ月の記録——二月二十二日

やっと寝返りが打てるようになる。すごく外に出たがる。

少しお座りをするとフラフラとどこにでも倒れてしまう。油断すると、すぐ頭を打ちそうになるので、気を抜けない。

●八カ月の記録

八カ月に入ってからお座りがしっかりしてきた。

すぐ腹這《はらば》いになって、とにかく前へ行こうとするのだが、気持ちだけが前へ行って体がついていかないようだ。しまいに、思い通りにいかなくて怒り出す。

この頃、離乳食をあまり食べないので、少し心配だ。便が固い。便通が一日、二日おきだったりする。

最初の頃はなかなか寝付かなかったが、この頃は午後九時には寝るようになった。習慣になったのか、九時頃には目を擦《こす》るので、急いで寝かせにいく。

座らせるとすぐ這い、後ずさりをするようになった。

●三月三十一日
お父さんが仕事に行くとき、初めてお見送りをしたら、泣いて泣いて仕方なかった。

●九カ月の記録
テーブルを摑んで立とうとする。検診に行ったら、小柄だがバランスが取れているとの事。健康で別段、異常なし。まずはひと安心する。

●初めてのお誕生日
あっという間にAも一歳。めでたし、めでたし。

八月上旬に一日だけ友が丘の家に預けて泊めたら、泣くこともなく、すぐ寝たそうである。でも、次の日に家に帰って来たら、すごく甘えん坊になり、私の側から離れなかった。やはり余所《よそ》の家に泊まって緊張したのかもしれない。

＊

〈お母さんからAへ〉

お母さんは健康。おっぱいがよく出て、Aは母乳で育てました。お母さんはAにたくさん食べさせようと張り切って、毎日毎日、スープの中に野菜を刻んで手製の離乳食を作っていました。カボチャを自分で茹《ゆ》でてすりつぶしたり、野菜を煮込んでトロトロにしたり、全部手作り。

だけど、Aは赤ちゃんの頃、アレルギー喘息が少しあって喉《のど》がゴロゴロし、食が細かった。お母さんのあげすぎかもしれないけど。

友が丘から社宅に戻ってからは、Aの身体が心配で、やれ「熱がある」「便が出ない」と大騒ぎし、小児科に入り浸《びた》っていました。

お父さんもAの顔が見たい、と会社から、毎日早く帰ってきてくれ、Aはいつもお父さんの膝の上で夕食を食べていました。

●一歳一カ月——一九八三年八月三十一日
Aが初めて立つ。いつもフラフラしていたAが、自分の足でしっかり立った。

●一歳二カ月

「あーちゃん」――。

Aの第一声。唐突《とうとつ》にAがキチッと言ったので驚いた。

「あっ、この子、今喋った」とはしゃいでしまった。

（Aは比較的、赤ちゃん言葉をあまり喋らず、スラスラと綺麗に話せる子供だった。初めての子供だったので、私は子供はこのぐらいで喋るのかな、と思っていましたが、次男、三男と比べると、喋るのは断然早かったと思います）

●一歳六カ月

次男が生まれてすぐ、Aも連れ、三人で友が丘の実家に帰っていました。その年の暮れの十二月三十日、Aが躓《つまず》いてサイドボードの角で頭を強打。ボコンとすごく鈍い音がし、Aの頭に穴が開いたように血がどんどん溢れ、もうびっくり仰天《ぎょうてん》して、急いで救急病院に連れて行った。

Aの傷は骨の一歩手前まで達し、五針も縫う大怪我だった。

「血がたくさん出たから、骨までいかなくて済んだんですよ」

と先生がおっしゃり、ひとまず安心した。

まだ赤ちゃんなのに、こんな怪我するなんて可哀相なことをしてしまった。

でも、安心も束《つか》の間《ま》、翌日の昼頃から熱がすごく出て、四十度近くまで上がった。暮れなので病院は開いておらず、やっと見つけた近くの開業医に連れて行ったら、風邪という診断だった。薬をもらい熱を下げたが、きれるとまた上がってしまう。

お正月中もずっとそんな状態で、大きな病院が開いた一月五日、Aはとうとう肺炎で入院。頭を打つ前から風邪気味だったので、どちらが原因で高熱が続いているのか分からず、ずっと不安だった。

もし突然死でもしたら、どうしようか。

しかし、一週間後には退院でき、ひと安心する。

でも、打ったのが頭だっただけに、不安が残る。

その後は家の柱、コーナーボードなど、角という角をテープで巻いた。

子供の行動は予測がつかないので、気をつけないと。

●一歳九カ月

おむつをすべて取る。昼のおむつはもっと早く取ったのですが、夜になるとなかなか取れなかった。でも、それ以降、お漏《も》らしは大丈夫だった。

Ⅱ　Aの日常と躾

　Aが生まれた後、年子で次男が、三年後には三男が相次いで生まれました。

　次男が生まれたばかりの頃は、私が次男にお乳を上げていると、Aはよく泣きました。私からAを離すとひどく泣くので、夜中に近所迷惑になるからと、夫がよくAをおんぶして外に散歩に出たり、泣き止まないときは、一晩中あやしてくれることもありました。

　夫は子煩悩《こぼんのう》でした。とりわけAは初めての子だったので、どちらかと言うと次男が生まれるまで私たち夫婦は、Aにベッタリ過ぎたかもしれません。
　三、四歳の頃のAに、躾《しつけ》として最初に教えこんだのは、ご飯が終わったあとに後片付けをすることでした。
「食べ終わったお茶碗は、流しへ持って行くのよ」

　二歳の頃のAにそう言ったら、あの子はまだ足がフラフラしていて、お茶碗をガチャーンと下に落としてしまいました。ですから、「これはまだ無理だ」と思い、三歳を過ぎてから始めさせたのです。

長男のＡをある程度キチンと躾けていれば、後に続く子も上を見て育つ。そういう意識が私の中にあったことは確かです。

細々《こまごま》したことは、もう記憶が定かではありませんが、よく覚えているのは、下の弟たちや自分より年下の子供を苛《いじ》めたらダメよ、とＡによく言いきかせていたことです。

ウチは、男の子三人兄弟です。小さい頃は玩具の取り合いなど兄弟喧嘩で、まるで戦争状態でした。一歳違いで勝気な性格の次男は、兄のＡに負けまいとするところがあって、よくＡに自分からちょっかいをだし、それが原因で喧嘩になっていました。

一応喧嘩の理由を二人から聞いて、次男が悪いときは下でも叱っていましたが、Ａは叱っても強情なところがあり、弟が泣いても苛めるのを止めないことが度々ありました。

そんなときは、

「泣いたら止めなさい。あんたはお兄ちゃんでしょう」

と特にきつく叱っていました。

Ａは人見知りが激しく、初体面の人とはほとんど喋れないような繊細な子だったので、二人の弟の兄ということが、プレッシャーになるのではないかと心配し、私はまだＡが小さい頃、尋ねたことがありました。

「弟たちに、お兄ちゃんと呼ばれるのと、友達みたいに名前で呼ばれるのとどっちがええ」

「僕は名前の方がええわ」

このため弟たちは、Aのことを普段は「A、A」と直に名前で呼んでいましたが、絵を描いてもらったり頼みごとをする場合だけは、ちゃっかりと「お兄ちゃん、お兄ちゃん」と呼んでいました。

次に躾けたのは、朝起きたら家族みんなに「おはよう」と言うことでした。

最近の中学生の男の子は、平気で「クソババア」「アイツ」とか乱暴な言葉をけっこう使うようですが、その点Aはあまり使わない子で、弟たちと比べても、言葉遣いが昔から丁寧でした。小さい頃から「おはようございます」と、きちんと挨拶《あいさつ》のできる子供でした。

逮捕前、不登校を起こして家にずっといたときも、毎朝二階から下に下りてくると、「おはようございます」と、家族にボソッという感じですが挨拶していました。

弟たちは昔から「おはよ、おはよ」と言っていましたが、Aだけは変わらず、「おはようございます」と、律儀に丁寧な挨拶をしていました。

箸やスプーンの持ち方ももちろん教えましたが、あの子の手を取り、「ここら辺をこう持つと食べやすいから、ここを持ちなさいね」と教えると、すぐにできていたように思います。

ですから、Aだけ格別厳しく躾けたという記憶はありません。

あとは、外出時に電車の中などで騒いだときなどは、「人に迷惑になるでしょ」と、ピシッとお尻を叩いて、言いきかせたりしました。

躾できつい折檻《せっかん》をした覚えはないのですが、三、四歳の頃の子供は、チョコマカ動き回るようになり、悪知恵が変に付いて、言うことを聞かなくなります。私自身も、三男が生まれた頃は、Aが四歳、次男が三歳で寝不足な日も続いていたので、長男のAには厳しく怒って注意していたかもしれません。

三男がまだ赤ちゃんで手が掛かる上に、小児喘息《しょうにぜんそく》持ちだったこともあり、Aと次男が騒ぎ回ると、ついついパニックを起こしました。そんな場合、口で言ってきかないときは、二人のお尻をパーンと叩いてたしなめていた記憶があります。

Aが生まれた神戸市北区の団地の社宅から、今の北須磨団地に移ったのは、一九八九年。Aが七歳のときでした。

北区の団地が湿っぽい空気の所にあったせいか、Aと三男が小児喘息を患いましたが、北須磨の友が丘の家に引っ越してから、二人ともいつの間にか治っていました。

私たち夫婦は、新婚当初は喧嘩もしましたが、子供が生まれてからは派手に喧嘩することはあまりなかったと思います。

専業主婦だった私は、家であったことは、仕事から帰ってきた夫に全部話していましたし、夫も面倒くさがらず、いつも話を聞いてくれました。

夫は口数が少なく、おとなしめなのに対し、私は言いたいことは誰にでもはっきり言う質《たち》です。性格的には正反対でしたが、こと子供たちのことについてはよく話し合い、自分で言うのも何ですが、仲はいい方だったのではないでしょうか。

「俺は亭主関白やで」

夫は口ではそう言っていましたが、休みの日は買い物とかに付き合ってくれ、荷物などはよく持ってくれました。

「まあ、ウチは子供が三人もおるしな。これも時代の流れやから仕方ないわ」

と言ってはいましたが、子供が夜泣きするとあやしてくれたり、休みの日には子供を外に遊びに連れて行ったりしてくれました。

「ウチは金持ちやないけど、貧乏でもない。ほんま、平凡やなあ」

それが夫の口癖でした。

私が七歳のときに父親が亡くなり、母が女手ひとつで大変な苦労をして、私と姉妹二人の三人を育ててくれました。ですから子供の頃、私は父にかまってもらった記憶はほとんどありません。

昔の父親というのは、子供にあまり関心がなく、外で好きなことをしているというイメージがありましたが、私の父も家のことは母にまかせきりで、よくお酒やパチンコなどにフラリと出かけていたことを、子供ながらにかすかに覚えています。

その父のイメージからすると、夫は正反対です。夫は子煩悩で、自分の休みの日でも子供と遊んでくれたり子供の面倒を一緒に見てくれたりで、私は本当に助かりました。

Aが小学校に上がる前は、神戸市北区の社宅住まいで、よく近所の公園の砂場などで遊ばせていました。

でも、あの子は小さいときから怖がり屋で、高い所に上ったり、無鉄砲な喧嘩をするなどといった危険なことは、まったくやりませんでした。

性格も少し気が弱く、内向的でした。砂場でみんなと遊んでいるとき、玩具を他の子に取られても、「返して」と自分から言いだせず、よくモジモジしていました。

「取られたら、取り返しなさい」

Aに覇気《はき》を持ってもらいたいと思い、よくそう注意したものです。

おとなしいAに友達ができるか心配だったので、団地の家の玄関の扉はいつも開けておきました。他の家の子供さんが気軽に入ってきて、一緒に遊んでくれたら……という願いをこめてです。

子供部屋には大勢で遊べるように、夫の手作りの木の滑り台や自動車、潜水艦、それに玩具のミニバイク、スポーツカーなどを、たくさん置いておきました。

みんなと遊んで社交的になり、自分の気持ちをちゃんと言える子に育ってほしい、Aの小さい頃は、よくそう思ったものでした。でも、性格というものはあまり変わるわけもなく、Aはいつもおとなしく、いつもフニャッとして人の後に付いていく子でした。

「アンタは本当にノンビー（のんびり）君やねえ。ちょっとトロイのとちゃう？」

私が何気なく言っていた言葉に、Aは確かに傷付いていたのかもしれません。

Aは小さい時から絵を描くのが好きでした。鉛筆と紙を渡すと、喜んで描いていました。ですから、息子三人がうるさく騒いで仕方ないときは、いつもクレパスと落書き帳を手渡して、

「描いてごらん」

と言うと、十五分ぐらいは、おとなしくお絵描きに集中していました。

Aは「仮面ライダーブラック」などテレビ番組のキャラクターをよく描いていましたが、Aの落書きは一応、ちゃんと絵になっていました。弟二人といえば、線がグチャグチャで、何を描いたのかさっぱり分からないものでしたので、Aは小さい頃から手先の器用な子だったと思います。

幼稚園の冬休みの宿題で、Aは「お正月の絵」を描いたことがあります。

そのときAは、夫とAと次男の三人が凧揚《たこあ》げをしている絵を描きました。

三男がお正月早々熱を出し、外へ出られなかったので、団地の前で凧揚げをしたのですが、そのとき、Aが弟の三男にも「見せてやる」と言って、描いたものでした。

詳しくは覚えていませんが、その絵がどこかの絵画コンクールで入選したと、Aを幼稚園に迎えにいったとき、先生から聞かされました。

「お母さん、ほら、これ見てみて」

先生から渡された賞状と賞品の鉛筆を両手にかかげて、すごく喜んでいたAの姿を、今でもよく覚えています。

あの事件のあと、幼稚園時代にAが苛められていたということを報道で知りましたが、当時、私は下の子を連れて毎日Aの送り迎えをしていたものの、そういった事実は先生から聞いたことはありません。また、毎日楽しそうだったので、まったく気付きませんでした。

Aは幼稚園の頃から、変に几帳面《きちょうめん》なところがあって、服はきっちり着て、夏でも襟《えり》のあるカッターシャツをつけ、ソックスをはかないと気が済まない子でした。

幼稚園は上っ張りと帽子が制服でしたが、Aは下に着るシャツでも「襟のないのは嫌や」と言って、シャツのボタンを、首が絞まるいちばん上までピチッと自分でとめていました。

また夏になって、私が「暑いやろ。ソックスやめたら。上はTシャツでいいんと違う」と言っても、「僕はこれがええんや」と、毎日ソックスをはき、カッターシャツを上っ張りの下に着ていました。

ですから、あの子の服は、夏でも半袖に襟のあるシャツをいつも買っていました。

服装だけでなく、他にも妙に神経質な面がありました。

三男が生まれて間もないときのことですから、Aが五歳の頃でしょうか、急に「足が痛い、痛い」と言いだしたのです。特に膝《ひざ》を曲げた後伸ばすと痛がるので、心配になって私が元町の整形外科に連れて行きました。

病院でレントゲンを撮ってもらって全部調べたのですが、Aの足のどこにも異常はありませんでした。

そのとき、先生に家族状況を聞かれました。三男が生まれて間もない上に小児喘息を患っているので、長男や次男をあまりかまってあげられないでいる、ということを説明しますと、

「長男さんをもっとかまってあげてください。恐らく精神的な面からくる症状でしょう」

と言われました。

三男に私が付きっきりで手がかかるから、どうしても長男のAの方に手が回らない、それが原因ではないか、と先生はおっしゃるのです。

そこで私は、友が丘の家（後に一家が移る実家）にいた母に、北区のわが家に来てもらって三男の面倒をお願いし、私は三男にお乳を飲ませる以外は、できるだけAや次男の相手になるように心掛けました。

するとAの足は、二、三週間で治り、「足が痛い」と訴えることもなくなりました。

一方、あの子は他人に言いたいことをあまり言えないような繊細な子でしたが、失敗して恥をかくということには、意外にも無頓着《むとんちゃく》でした。

例えば、幼稚園の音楽会のとき、Aはその三、四日前からずっと風邪で練習を休んでいました。前の日になって、ようやく幼稚園に行けるようになりましたが、Aがそのま

ま音楽会に出たら、不安がってビビッてしまうのではないかと心配になり、先生に相談しました。先生はAの担当楽器（何かは忘れました）を、簡単なトライアングルに換えてくださいました。

そして、音楽会の当日の出掛けに、私はこう言ってあげたのです。

「緊張するなら周りの人間を野菜と思ったらいいからね」

今度の事件でも問題になった「人間を野菜にみたてる」という考えは、このとき私がAを励ますつもりで言ったことです。あくまで緊張しないために、教えたものでした。

それ以降も、Aが「人間が野菜に見える」と言っている（Aがそう供述していると聞きました）とは想像もつきませんでした。今年に入ってAの供述調書を読ませてもらったとき、よく覚えていたなあという意外さと、その言葉が息子に何らかの大きな影響を及ぼしたことに、正直驚き、ショックを受けました。

Aはその音楽会では、親の心配をよそに、すました顔でトライアングルを叩いていました。

人見知りが激しくて、初対面の人とはほとんど喋れないほど気が弱く、慎重過ぎると思っていたので、Aが緊張していない様子を見て、こんな面もあったのかと、その意外さに驚いた記憶があります。

こういう面はこの子、もしかしたら私に似ているのだなーとも思いました。

　私はあかんかったら次行こう、失敗したらその時点で次に何か考えよう、という性格です。

〈最初から何でも上手くできるわけはない。最初から上手くは誰でもできない。上手くできないで当たり前という根本から出発しよう〉

　私自身いつもそう考えていましたから、たいていの場合、緊張はほとんどしませんでした。子供たちにも、いつもそう教えていたつもりでした。

　今思うと、Aは繊細で食も細い子でしたが、妙なところでは大胆でした。

　また、勉強に興味もなく、成績は小学校、中学校を通じてあまりよくありませんでしたが、子供にしては、けっこう頭が回るところはありました。

　繊細でいながら大胆な性格——その性格が災いして、あんな酷い大それた事件を起こしてしまったのかもしれません。

　弟たちと違い、ちょっと個性的な発想をする子供だったと思います。

　Aの小学校入学直前の一九八九年三月に、私たち一家は北区の団地から、友が丘の家に引っ越しました。

　それまで母と同居していた私の姉夫婦が、子供たちが大きくなったので近所に越し、まだ子供が小さい私たち一家が、母と暮らすようになったのです。

友が丘の家は、母が長年働いて苦労して建てた家で、私も夫と結婚する前まではここに一緒に住んでいました。後に母が亡くなったときに、母の遺言で家の名義は妹のものになりましたが、妹は仕事の都合で家を出て独立して暮らしていたので、私たち夫婦がそのまま借りて住んできました。

友が丘の家の間取りは、一階が台所と六畳の居間と私たち夫婦の寝室。二階は、十二畳の洋間一間に六畳と三畳の三部屋で、Aは小学校までは次男と一緒に十二畳の部屋を使い、中学に入学してからは六畳の和室の方に一人で移りました。

Aは神経質な面がある割に、おっちょこちょいなところも私に似ていました。

小学校低学年の頃、こんなことがありました。

秋に学校の音楽会が催されることになっていて、そのためAはハーモニカの練習を家で一生懸命やっていましたが、お世辞にもあまり上手とは言えませんでした。でも、本人は、ルンルン気分で吹いていたのを覚えています。

これでちゃんと吹けるのか、私は密かに心配していましたが、音楽会の前、学校から帰ってきて、「先生に褒《ほ》められた」と、Aが嬉しそうに話したので二人して、よかったよかったと大喜びしたものでした。

当日の朝、家から学校に出掛けるとき、Aは白い体操服を着ていました。

「えっ、音楽会やのに体操服ででるの？」

私が尋ねると、Aは自信を持って、

「そうや、今日は体操服やねん」

私は不思議に思いつつも、Aのクラスだけは先生がそう決めたのだろうと、そのまま送りだしました。

ところが、音楽会の会場でAのクラスの出番になり、登場してくる生徒たちを見てびっくりしました。

みな紺や黒のカーディガンや上着を着ているではありませんか。

「あちゃー」

恐る恐るAを捜すと、白い体操服の上に黒のトレーナーを着ていました。

私はほっと胸をなで下ろしました。恐らく先生が体操服と分からないようにカバーして着せてくれたのだと思います。

Aは体操服を着ないとあかん、と思い込んでいる様子だったので、どこかで勘違いをしていたのだと思います。そんなおっちょこちょいは、私もよくやります。

〈――やはり、親子やわ〉

内心そう思ったものでした。

小学校二年に上がったとき、Aは自分から「少林寺拳法」を習いたいと言い出しました。

私は嬉しくなって、すぐに手続きをしました。

少林寺は、前からAの従兄弟が習いに行っており、私はAにも一年生から習わせたかったのです。けれども、あの子は受け身なようでいながら、興味のないことを強制されてもキッパリと頑固に断る質《たち》なので、自分から言い出すのを待つしかありませんでした。

そんな矢先に、自分から言い出したので、本当に嬉しかったのです。

強くなって、自分に自信が持てるようになったら、もっといろんなことにも積極的になれるだろうし、他人にも優しくなれるのではないか。それに精神力が培《つちか》われるはずだと、私はそのとき思っていました。

私がそう考えたのは、古本屋で買い揃えた全二十一巻の『拳児』という、大好きな漫画があるのですが、この漫画の影響もあったと思います。

それは、少年がお祖父さんの拳法家に教えられ、精神的にも肉体的にも強く成長していくというストーリーの、拳法の漫画です。

同じような拳法漫画『北斗の拳』とは違い、もっと日常的な身近な話で、主人公もごく普通の小学校に通う少年で、漫画の中でのお母さんは教育熱心な人、お父さんは「子供の好きなようにさせたらいい」というおっとりした人、そしてお祖父さんは拳法をとおして主人公を鍛え、強いだけではなく、他人への思いやりを教えていくという役割になっています。

この『拳児』の主人公のイメージが、私の理想の息子像といいますか、子供たちにも出来たら『拳児』の主人公と同じように肉体的にも精神面でも強くなってほしいし、弱い者苛めをしない他人に優しくできる人間になってほしい、と願っていました。ですから、二階の子供部屋の本棚に、『拳児』をさり気なく並べて置きました。

映画でも漫画でも私の好きな主人公のタイプは、人の目には悪ぶって見えても、中身は優しく人間味があるというキャラクターで、子供たちにも、勉強は少々できなくてもいいし、ちょっと変わって見えてもいい、でも、中身のある魅力のある人になってほしいと願っていました。

『あしたのジョー』も好きで、そのアニメビデオを、Aや三男と一緒に家で見たこともありました。

Aは小学校六年まで少林寺を続けましたが、これがAにとっては唯一の習い事でした。勉強より最後に行き着くところは人間性——。

私はいつもこう思っていたので、塾とか他のお稽古事《けいこごと》も本人が言い出さない限り、通わせようとは思いませんでした。もちろん、やってほしいと思うことはありました。しかし、とりわけAは、自分の興味のないことはまったく受け付けない性格でした。

まあ、私が専業主婦で外で働いていないので、塾などに通わせる経済的余裕もあまりなかったという理由もあったことは確かですが、でも、塾とかは中学三年の高校受験のシーズンになり、切羽詰《せっぱつ》まってきたところで考えたらええわ、とのんびり構えていました。

ですから、Aは逮捕されるまで、ついに塾には一度も行ってはいません。

小学校三年生のとき、Aが書いた「お母さんなしで生きてきた犬」「まかいの大ま王」という作文は当時、私も読んでいました。

この二つの作文は、私がAに厳しくし過ぎたために、Aが私を怖がっていた証拠として、さまざまな報道や専門家の先生方の話の中で、よく取り上げられていました。


「お母さんなしで生きてきた犬」

ぼくのうちのサスケは、うまれてすぐぼくのうちにきてそだてられたから、お母さんのかおもしりません。くもりの日や雨の日にはこやの中で「クーン、クーン」といって、目になみだをためていました。ぼくがにわにでていって「お母さんがこいしいか」ときいてみたら、「クーン、クーン」とまたいって、ぼくの足にしがみついてきました。ぼくが「ぜったい、お母さんに会えるで。」ってわかってもいないのに、つい口に出してしまった。だって、すごくかわいそうだったからだけど、そうゆうことをゆうと、サスケのなみだがおさまって、ぼくの手をなめてくれました。雨がすごくふって、ぼくのかおにあたってもぜんぜんきづきませんでした。サスケとの会わにしんけんになっていたのです。そのあと、ぼくはうちの中に、サスケはこやの中にはいっていった。

この作文には、担任の先生が省略した部分があるというのも報道で知りました。省略された部分は、次の文章だったそうです。

ぼくもお母さんがいなかったらな。いやだけどやっぱりぼくのお母さんみたいのがサスケのおかあさんだったらわからないけど。やっぱりかわいそうだな。

「お母さんなしで生きてきた犬」を読んだとき、私はAに尋ねました。

「これ本当にあったことなん?」

「お母さんがいなかったらな……」という部分が削られていたことを、私はずっと知らなかったので、気にしていませんでした。

「いいや。違うけど、こないして書いた方がおもしろいやろ」

Aが平気な顔で答えるので、

「あんた、作文言うたら本当のこと書かなあかんで」

と言い聞かせたことを覚えています。


「まかいの大ま王」


お母さんは、やさしいときはあまりないけど、しゅくだいをわすれたり、ゆうことをきかなかったりすると、あたまから二本のつのがはえてきて、ふとんたたきをもって、目をひからせて、空がくらくなって、かみなりがびーっとおちる。そして、ひっさつわざの「百たたき」がでます。お母さんは、えんま大おうでも手が出せない、まかいの大ま王です。

「まかいの大ま王」を見せてもらって読んだときも、苦笑いしながらAに、

「あんた、ちょっとこれ言い過ぎちゃう?」

と、冗談ぽく尋ねたら、

「そうかなあ」

Aがおどけたように笑っていました。

私はAを布団叩きで叩いた記憶はありません。Aの部屋に入り、お寝坊をしているAに、「布団干すで、起きよ」と言って布団を剝《は》ぎ、窓を開けて布団叩きで布団をバンバン叩きながら干していました。多分そのイメージで書いたのかなと思い、あまり気にも留めず、作文は読み流していました。


当時、少なくとも宿題ぐらいは必ずやりなさいと、よく注意はしていました。

それと、Aは学校への提出物をしょっちゅう忘れていましたが、まったく平気で、そのクセがいっこうに直らないので、それに関してはよく叱り、忘れる度に口うるさく注意していました。

私は、日常の基本的なことだけは、小さい頃にキッチリと教え込んでおかなければと思っていました。ですから、約束を守る、時間を守る、年下の子を苛めたらダメ、おばあちゃんとか年寄りにやさしくしなさい、先生とか目上の人にはキチンと挨拶ができるように、というようなことは、うるさくは言い聞かせていました。

Aが三、四歳の頃は、お尻を叩いて叱ったりしましたけど、小学生になってから叩いて注意をするようなことは、ほとんどしていなかったと思います。Aは食が細いせいか、ガリガリで背も小さかったので、叩くつもりもありませんでした。

でも、やはり母親の私が怖いと、Aは思っていたのでしょう。

母親というものは、どこの家庭でも、小さい頃の子供にとっては口うるさい存在。うるさいから怖いけど、それと同時に、身の回りの世話をしてくれ、何か頼めば解決してくれる、子供にとっては身近な大きな存在ではないかと思います。

しかし、大きくなれば、次第に何でも自分でできるようになり、友達や環境によって世界が広がっていくので、だんだんうるさく煩《わずら》わしく感じるようになります。

私は自分自身を、そういう存在と思っていました。でも、私は小さい頃はやはりAには厳しくしていましたので、繊細な面があるAは、こちらが考えていた以上に敏感になっていたのかもしれません。


Aが小学校三年生のときのことです。兄弟三人が、三つ巴《みつどもえ》で取っ組み合いの喧嘩をしているところに帰ってきた夫が、長男のAに手を上げ、怒鳴りつけました。

するとAは、急に目を剝くというか変に虚ろな目になり、宙を指差して、

「前の家（多分、北区の社宅のこと）の炊事場が見える、団地に帰りたい、帰りたい」

とうわ言のように喋りました。その様子がとても普通ではなく、怯えたようにガタガタ震えだしました。

私は驚いて駆け寄り、

「A、大丈夫やから。お母さんが全部、ちゃんと守ったるから。大丈夫やからね」

と、震えているAを、しばらくじっと抱いていました。

すると、Aの震えも次第におさまりましたが、私も夫も、あまりに普段と違ったAの様子にただ驚くばかりでした。

私たちはそれ以後ずっと、そのときのAの異常な様子が気にかかって、なん度か話し合ったりしました。

「仕事の疲れもあり、叱り過ぎたのかな」

と夫は気にし、その後Aには叩く真似はしても、一度も手は上げなかったと思います。

それでも心配だった私たちは、同居していた私の母に相談し、母の知り合いに病院を紹介してもらって、大阪のある病院の神経内科に、私がAを連れて行きました。

「お母さん、これは構い過ぎですよ。なるべく本人を放っといて下さい。外に仕事にでも出られたらどうですか？」

と、その神経内科の先生はおっしゃり、Aを「軽いノイローゼ」と診断されました。

でも「病名をあえて付けたらそうなるだけで、あまり心配しなくてもいいです」とも説明されました。

下に二人いたので、私は外に働きには出られませんでしたが、それ以降は、なるべく

Aには忘れ物の注意など必要最小限にして、できるだけ構わないように気を付けました。

Aが、逮捕された後の精神鑑定のときなどに、

「僕はマザコンだった時期がある」

「母を必要以上に愛していたというか、僕のすべてでした」

「母以外の家族は、それほど大事ではない」

などと話していたと、後で弁護士さんから聞かされました。

でも、Aのそういう時期は、おそらく小学校三年生ぐらいまでではなかったかと思います。Aは小学校の高学年頃には、友達も次第に多くなり、よく外に出て遊んでいました。少なくともその頃は、学校が楽しくて仕方がないという印象で、私と話すより、友達と外に遊びに行っていたことのほうが、ずっと多かったと思います。

Aの誕生日には、小学校四年生ぐらいまでは毎年、私がケーキを焼き、友達を呼んで、誕生パーティーのようなものを、家《うち》でやっていました。友達が二十人ぐらい来てくれたこともありました。その頃が、いちばん友達も多かった時期です。

家は息子が三人も学校のお世話になっているので、私は、PTAや保護者による学校の行事とか活動には、なるべく参加するようにしていました。

私はもともと、社交下手で、人前に出るのは苦手な性格でした。でも、仕事に出ておらず、人に頼まれると嫌とは言えない性格だったので、子供たちが運動会などで楽しめるようにと、裏方として一生懸命走り回りました。

Aの小学校四年生の二月、母が肺炎で入院し、その二カ月後に亡くなりました。

私と母は、よく子供のことでは口喧嘩をしていました。

「あんたは、子供たちをよく叱って厳し過ぎる。そんなんやったらあかん。子供が萎縮してしまうわ」

「お母さんは責任がないから、そんなこと言うんや。言わせてもろたら、お母さんも私たちにすごい厳しかったやんか。よう言うわ。子供のことには口出しせんといて」

でも、実の親子でしたから、喧嘩しても一晩で忘れ、後に残ることはありませんでした。

母が孫である息子たちを可愛がり、よく面倒を見てくれたので、私はPTAの雑用をしに家を空けることもできたし、夫が心臓病で入院したときなどに、パートに出ることもでき、本当に助かっていました。

「お前と喧嘩するのが張り合いや」と、母はよく私に話していたものでした。

父親が私の七歳のときに亡くなったので、女手ひとつで私たち姉妹を苦労して育ててくれた母。一緒に暮らしてからは喧嘩ばかりしていましたが、亡くなったときは私も非常にショックを受け、言いようのない寂しさを感じました。

Aと母（おばあちゃん）の関係については、よく事件で取り上げられていましたが、私の目から見て、Aは母に可愛がられてはいましたが、特に親密だったとは思えませんでした。

むしろ三男が、よく母の部屋に入り込んで、あの子は末っ子なので甘え上手というか、母にお茶をいれてあげたり、いちばん懐いているように見えました。

確かにAは、私に怒られると母の部屋へ逃げ込んだりしていましたが、それはAに限ったことではなく、息子たち三人とも同様でした。

でも、生活を共にしていただけに、おばあちゃんが亡くなったときは、相当ショックを受けたことは無理もありません。お棺の前で兄弟三人が、ボロボロと涙を流していたのを覚えています。

でも、その母の死で、Aが急に変わったとは、私の目には見えませんでした。

蛙《かえる》やナメクジの解剖は、それを境にして始まったとAが供述しているそうですが、私が鈍かったのか、そんな様子にはまったく気が付きませんでした。

母のことは、もしAとちゃんと話せるようになったら、聞いてみたいと思っています。

けれども、母が生きていれば、もしかしたらAが、あのような事件を起こさなかったかもしれません。それは今の私には分かりません。

でも、そう思う反面、あんな事件が起こる前に母が亡くなり、ある意味では良かったと思うこともあります。

同じ年のAの五年生の夏休み、一家五人で夫の郷里の鹿児島の離島に行くはずだったのですが、三男が熱を出し、看病のため私と三男は家に残り、Aと次男と夫の三人だけで、旅行に出発しました。

私たち一家は、経済的な余裕もなかったので、家族旅行はあまりしなかったのですが、離宮公園や水族館、動物園、海水浴など、日帰りで遊びにはよく出掛けました。

一家五人で郷里へ帰ると何十万円もかかるので、何年かに一回しか帰れませんでした。

でも、Aは夫の生まれ育った離島が大好きなようでした。

五年生のときに書いた作文（タイトルは「僕の夏休み」）の中に、こんな文章があります。

「（父親の郷里の海のことを）まるで海底まで透き通るような、青い色をしていた。（中略）洞窟に行き、その中に入るとまるで外の世界とえんを切った気分でクーラーを入れている時よりすずしく、静かです。（中略）ぼくの心ではパリが花の都なら、ここは花の島だと思いました。また、再来年きます。ぼくの花の島。」

夫の生家は、今は誰も住んでおらず、空き家になっているのですが、そこをAは夫と一緒に訪ねたそうです。

「将来、僕が帰ってきて、この家に住むわ」

Aは夫にそう話すほど、夫の故郷が気に入ったようです。

その冬の十二月に、母が長い間飼っていた犬のサスケが老衰で死にました。

サスケは、半年ほど前からボケがきてお腹に水が溜まるので、獣医さんに水を抜くための薬をもらいに通い、薬を餌《えさ》に混ぜて与え続けていました。

Aも下の弟たちも、よくサスケを動物病院に連れて行ったり、家族全員で看病していたのですが、結局その日の朝、起きたら死んでいたのです。

「年とってたから、老衰であかんかったみたいやわ」

起きてきたAに説明すると、「うん……、可哀相やな」と言ったと思います。

私は泣いていましたが、意外にも息子たちは三人とも泣きませんでした。

やはり男の子だけに強いな、しっかりしてきたな、と思ったものでした。

Aもサスケをずいぶんと可愛がり、よくサスケの餌を横取りしにきた野良猫を、追い払ったりしていましたが、まさかその頃、カゲで猫を殺して解剖するなどという酷いことをしていたとは、私には想像することすらできませんでした。

しかも、Aは中学生になって、拾ってきた緑亀を庭の水槽で飼うようになりましたが、日曜日には水槽の水換えや甲羅干《こうらぼ》しと、このときばかりは弟二人と仲良くせっせと面倒を見て、亀を三人の宝物にしていたので、同じ生きものを虐待するという残酷な面をAが持ち合わせているなどとは、とても考えられませんでした。

Aは小学校のときから成績は悪く、五段階の通知表は2と3ばかりでした。いつも、「やればできるのだから、早く気付きましょう。もう少し、積極的になりましょう」と先生に通知表に書かれていました。

けれども、五年生のときだけは、学校の先生がAのような落ちこぼれ気味の子らを居残りで熱心に教えてくださり、いつも2か3しか並んだことのない通知表の中に、4が二つ混じっていたのを覚えています。それは技術家庭と国語だったかと思います。

「あんた、やればできるやん。やればちゃんとできるやん。できないのは、やらないからやで。もうちょっと続けて頑張ってみよう」

それ以後、私は口癖のようにAにはそう言っていました。

私はAの小学校の頃は、たまに宿題を手伝ってあげたりしましたが、Aはちゃんと説明するると理解はできる子でした。「やればできる」と褒めれば、喜んで次も聞いてくれるので、暇さえあればそう言っていました。

親としては、ときにはいい成績をとって帰った息子に、「あんた、すごいなあ」と褒めたい気持ちもありました。でも、「やればできる」「やればできる」と、励まし続けなければならないのも、ちょっと寂しい気持ちでした。

しかし、Aは相変わらず勉強には興味を示さず、家でせっせと漫画を描いたり、粘土で怪獣などを作っていました。

私はよくAから頼まれ、油粘土を買ってきてあげて、Aがその粘土でテレビで見た怪獣や読んでいる漫画のキャラクターを器用に作るのを、眺めていました。

弟たちがよくAに、「怪獣を作って」「漫画を描いて」とせがむほどAは上手かったと思います。私もときどき、「上手だね」と褒めてあげました。

「母さんが、僕が粘土で怪獣作るの上手い言うて、褒めてくれたんやで」

Aは親戚と電話で話す折りなどに、こんな自慢をすることもあったようで、褒められれば、喜んでやっていました。

「アンタ、絵描くの上手いから、漫画家を目指してみたら」

「えーっ、クラスでも上手い奴、いっぱいおるんやで。無理やわ」

「そうかなあ。そんなことないんやないの？」

私は、何でもいいから、夢中になれる目標を持ってもらいたいと思って、よく勧めてみましたが、Aはそこまでは、自分に自信が持てないようでした。

しかし、Aはいつまでも、怪獣ばかり作っていたわけではありませんでした。学校の図工の時間に、Aが赤色を塗った粘土の固まりに、剃刀《かみそり》の刃をいくつも刺した不気味な作品を作ったのは、小学校六年生のときでした。

「粘土の固まりは人間の脳です」と説明し、聞いた担任の先生がびっくりして、夜七時頃に家を訪ねてこられたのです。

「A君が作った作品が、ちょっと気になったものですから、来させてもらいました」

私はその実物は見ていませんが、先生から大体の説明を聞き、剃刀の刃をいくつも刺していたことに驚きました。なぜ、そんな危険なモノを作ったのだろうか、と。

しかし、先生はAが「脳」を作ったことの方が気になる様子でしたので、工作を作るちょっと前、脳の機能について、樹木希林と学者が解説するという内容のNHKの教育番組を、Aが私と一緒に見たことを話し、その影響ではないかと先生に説明しました。

ですから私は、Aが脳を作ったことはあまり気になりませんでした。むしろ、なぜ剃刀の刃のような危険なモノを、脳の像に突き立てたのかという点がひっかかり、先生が帰られた後で、直接Aに尋ねてみました。

「ぼくの友達がいじめられとって、その子に仕返しするために刃をつけたんや」

「でも、そんな刃つけたら、誰が怪我するか分からんやないの。危険やから、そういうことは一切やめなさいよ」

私が注意すると、Aはその場では「うん、分かった」と頷《うなず》いていました。

その年の十一月頃のことです。普段は四時半頃に下校してくるAの帰りが、夜七時半頃になったことがありました。こんなに遅くまで何をしていたのか、と尋ねると、パンダ公園でAの友達の六年生の男の子のグループが、エアガンで空き缶を撃っているところを先生に見つかって、叱られていた。友達が叱られている間、自分も学校で待っていた、と理由を説明しました。

Aの話によると、Aともう一人の友達はそのメンバーには入っておらず、他の友達が校長室で説教されているのを待っていただけだ、ということでした。私は当時、その説明をすっかり信じて、それ以上はとがめず、深刻に受け止めてはいませんでした。

こんどの事件後、エアガンの標的は空き缶ではなくて同級生の女の子だったことと、Aも一緒だったという報道がありましたが、真相はどうであったのか、これ以上のことは今のところは分かりません。

翌年の一九九五年一月、阪神大震災がありました。

私たち家族も全員、驚いて外に飛び出しましたが、幸い友が丘地区は深刻な被害は免れました。

しかし、私の妹や夫の兄弟が被害に遇い、避難所に移っていましたので、夫は六年生のAを連れて、復旧の手伝いに出掛けました。

その後、Aが書いた作文が、「知人の心配」です。その一部は次のようでした。

「……今回の地震は、自分の心配の事より、ほかの親せきや、身内がだいじょうぶかどうかと、心配する事の方がこわかったです。

村山さんが、スイスの人たちが来てもすぐに活動しなかったので、はらが立ちます。

ぼくは、家族が全員死んで、避難所に村山さんがおみまいに来たら、たとえ死刑になることが分かっていても、何をしたか、分からないと思います。」

作文の中の、スイスの救助隊が来たのに政府がなかなか活動を許可せず、救援活動が遅れたというのは、家で一緒にテレビで見ていたとき、Aが珍しく腹を立てていたことを書いたのだと思います。

恐らくAは、夫と一緒に被災した親戚の仮小屋を建てるため、板や棒を運ぶ作業を手伝ったり、目の当たりに震災の凄惨さを見たため、純粋に怒りを感じたのでしょう。

しかし、その後、思いやりがあるのかないのか分からないような行動を、Aは立て続けに起こしました。

翌月二月、Aが土師淳君を殴る騒ぎを起こしたと、先生から連絡を受けました。私はびっくりして、慌《あわ》てて土師さんのお宅にお詫びの電話をしました。

「うちのAの方が淳君より大きいのに。本当にごめんね」

淳君は三男の友達で、家にもよく遊びに来ていましたから、本当に申し訳なく思いました。土師さんの奥さんは、そのとき「かまへんよ」と優しくおっしゃってくれました。

職員室で、Aは「あの子がちょっかいを出したからや」と言い訳をしていたそうですが、土師さんのお宅に先生に伴われて謝りに行ったとき、奥さんがAの言葉を優しく聞いてくださったので、最後は泣いて謝ったと、先生から電話で聞き、少しは安心しました。

家でもAに懇々《こんこん》と言い聞かせたつもりだったので、反省しているものと思っていました。

でも、結果的にAは、何も分かっていなかったのです。

二度目は、どんなに泣いて謝っても取り返しのつかない、永遠に許されるはずのない行為、命を奪うという酷いことを、あの子は淳君にしてしまった……。

なぜ、理由もないのに、淳君を……。

いくら考えても考えても、私には分かりません。


淳君は、三男の小学校三年時の友達でした。

その頃、よく家に遊びに来て、三男と一緒におやつを食べたりしていたので、私の顔も覚えていてくれたようです。

たまたま、スーパーで買い物をしていたときに淳君と会ったら、パーッと駆け寄ってきて、「おばちゃん、これ」と買ったばかりの玩具を見せてくれました。

「淳君、どうしたん？　それ」

後ろに淳君のお兄さんがいて、ニコニコしながら見守っていました。

「お兄ちゃんに買うてもろたん？」

「うん」

淳君は感情表現が豊かな子で、嬉しさが満面に出ていました。

「よかったねえ」

すると、すすすーっとお兄さんの後ろに回り、楽しそうに連れだって帰って行きました。

今でもそのときの淳君の笑顔が忘れられず、どうしたらいいのか混乱し、自分の親としての無力さ、不甲斐なさを呪い、やり切れない気持ちになります。

三男と遊ぶとき、淳君は絵本を持ってきて、私にもよく見せてくれました。淳君は、工事現場のタンクローリーとかクレーン車が大好きでした。そうそう、消防車も好きだったと思います。

時々、絵本を持って私に聞きにきました。

持ってきた絵本の中には、動物の本もありました。子猫や犬など動物が大きく載っている絵本で、中の絵を指差しながら、

「おばちゃん、これは？」

と可愛い笑顔で動物の名前を尋ねる淳君。何回か説明すると覚えてくれて、その成長ぶりを実感できたと思うと、本当に嬉しい気持ちになったものでした。

今の私には、言う資格はありませんが、そんな淳君を見ていると本当に可愛かった。とても可愛い、可愛いお子さんだったと思います。

その大切な命を私の長男が、一瞬にして奪い取ってしまったとは……。

Aは淳君とは年が離れていたので、一緒に遊んでいる姿はほとんど見たことがありませんでした。でも家でおやつを食べるときなどに、顔を合わせる機会は何回かありまし

た。ですから淳君も、「三男のお兄ちゃん」としてAの顔は知っていたのだと思います。あと中学に入った頃、Aは弟たちと一緒に、庭で亀の水槽の水換えをよくしていました。そんなとき、遊びにきた動物好きの淳君も一緒に亀を見ていたと思います。Aが淳君をタンク山に誘ったとき、「亀を見に行かないか？」と声をかけたと後になって知り、胸が詰まりました。

淳君は男の人を怖がりました。だから誰にでも付いて行くようなことは、絶対なかったと思います。たまに夫と顔を合わせても、すーっと玄関から出て行ってしまうこともしばしばあったほどでした。

今考えると、Aでなければ、簡単には淳君をタンク山に連れだせなかったでしょう。

淳君が、三男と友達にさえなっていなかったら……。

家でAと顔を合わせてさえいなかったら……。

ウチの家とさえ関わらなければ……。

……恐らく、今もご家族と元気で暮らしていたでしょう。

土師さんにどうやってお詫びしてよいのやら皆目分からず、考えれば考えるほど、頭は混乱してしまいます。お手紙を書いても、気持ちを伝える言葉も思い浮かばず、ただ申し訳ありませんと繰り返し書くことしか、今の私にはできません。深く頭を下げ、夜寝る前にただただご冥福を祈ることしか、なす術《すべ》がない毎日です。

Aが淳君を殴った翌月の三月、春休みに入ってから、Aと友達四人が万引きで補導され、夫が学校へ呼び出されました。

私は、同級生のお母さんから連絡を受けて知りました。

万引きした品物は、温度計だと聞きました。

「これどないしたん？」

温度計のケースが家にあったので、Aを問い詰めました。

「……」

Aはじーっと黙っていました。

〈なぜ、温度計なんか盗《と》ったのかしら――〉

当時はその理由が分からず、ただ不思議でした。

でも、その頃Aが、猫を解剖したり、温度計の水銀を集めて猫に飲ませたりしていた、と逮捕後の報道で知り、頭を何かで殴られたような気分になりました。

いくらAを問いただしても、万引きを認めようとしないので、一緒に補導されたメンバーの親同士が話し合って、品物を返しに行き、親の連帯責任ということで万引きした分の代金をお店に支払いました。

「お金を払わないと、これ泥棒と同じやねんで、A。お金を払わないと絶対、店の品物は自分の手元に置いたらいけない。店の品物は自分がお金払って、初めて自分のモノになるんやで」

当たり前のことを説教しなければならない自分が、とても情けなくなりました。

「分かりました」

Aは一応そう返事はしましたが、万引きをその後も止めなかったことを、これも後で知りました。家宅捜索で出てきたナイフや大工さん用の工具など、事件に使用した道具はすべて、万引きで調達していたというのです。

この春休みの万引き事件を境に、Aが私たちに今まで見せたことのなかった悪い面が、次第に露《あらわ》になってきたように思います。徐々に、それまでの「泣き虫で気の弱い」Aではなくなっていたのです。

Aが中学に入学してから逮捕されるまで、私たち夫婦は十回以上も学校や迷惑をかけたお宅を訪ね歩き、頭を下げに回りました。

中学に入ってから、私が何を注意してもAは、

「分かった、分かった」

と、さもうるさそうに、軽くあしらうようになっていました。ですから、学校から知

らせのあったトラブルは、帰宅した夫に報告し、夫からAを叱ってもらうようにしていました。

夫は手を上げたりはしませんでしたが、Aが問題を起こす度に、

「A、話がある」

と、二階のAの部屋へ上がり、根気強く、繰り返し注意をしていました。

そのためかAは、父親と顔を合わせるのを避けているように見えました。

「ただいまー」と夫が帰ってくると、Aは居間からヒューッと二階の自室に消えてしまうのでした。

〈男同士、あれこれと喋るのは億劫《おっくう》なのかな〉

私はそんなふうに思いました。

でも、夫がいくら注意しても効果はほとんど現れず、Aはいつしか歯止めがきかなくなっていたのです。

五章　中学校に入ってからのA　〈母の手記〉

I　気付かなかった「前兆」

一九九五年、Aは友が丘中学に入学しました。そして部活として卓球部に入りました。私は卓球が好きでした。結婚する前、勤めていた会社の昼休みにはきまって卓球をしていましたし、友が丘の家に移ってからも自治会の卓球サークルに加入し、練習にはよく行っていました。

でも、だからと言ってAに、「卓球をしなさい」と強制はしませんでした。Aは自分の興味のないものには、たとえ親に強制されても、絶対「ウン」と言わない性格だということはよく分かっていましたから。

「卓球部に入ったよ」

Aが好きだった漫画『行け！稲中卓球部』の影響もあったのか、学校から帰ってきてそう報告したときは、私は嬉しくなって、つい奮発して卓球台まで買ってしまいました。

「そらええわ。お母さんもちょうどやってるし。A、勝負しよか」

卓球台は家の庭に置き、休みの日は夫と私、Aと三男とがペアになって、よくダブルスをやっていました。

次男だけはサッカーをずっとやっており、練習で忙しくてほとんど一緒にはやりませんでした。

最初の頃は、やはり私の方が勝っていました。

「よし、今度こそ母さんに勝つからな」

あの子にしてはめずらしくそう言うこともあり、卓球で、ちょっとでも闘争心というか頑張ろうという気力が芽生えはじめたのかなあ、と喜んだものです。

Aも入部して半年ほどすると、メキメキ上手くなっていきました。

ラケットや恰好《かっこう》も一人前でした。

男の子のAといい勝負ができるよう、私も張り切って自治会のサークルの練習に行き、一生懸命に練習していました。また、休みの日などにAが、家の中でゴロゴロしながら漫画やテレビばかりに夢中になっているのが気になっていたので、「ちょっと、卓球やろな」と出来るだけ声をかけて、Aを外に引っ張りだすよう心掛けました。

「あんた、サーブ上手くなってきたな。やっぱり基礎から習とるから上手いもんや」

「そうやろ」

「やった。母さんに勝ったで」と、Aはカレンダーか何かに、私に勝った日付とスコアーを付けていたこともありました。

卓球部でのAは、補欠の補欠ぐらいの部員で、対抗試合などにはたいてい他の子が出ていましたが、それでも年に何回かは試合に出させてもらっていました。

「今日は試合や」

卓球部の白の半袖のシャツ、黒の短パンを持って、朝早く出掛けることもありました。

ただ、試合で負けても、補欠のままでいても、Aはとりたてて悔しがるということがなく、闘争心とか勝ちたいという意欲は、相変わらずあまり見えませんでした。

庭での卓球はAが中学二年生頃まで続き、部活にも真面目に参加していたようです。

しかし、Aの悪い方の面は、相変わらずおさまっていませんでした。

中学に入った四月早々に、Aがカッターナイフで、他の校区の学校の小学生の自転車のタイヤを切り刻んでパンクさせた、と学校の先生から連絡を受けました。

その小学生がAと友達に石を投げてきたので、その仕返しをしたというような言い訳を、当時Aはしていたと思います。

「自分より下の子になんてことするの」

と厳しく注意しました。

ところが、六月にも先生から電話が来ました。Aが部活の練習のときに、ラケットで仲間を叩いたというのです。

理由を尋ねると、「そいつが僕の足をひっかけたから、仕返しをしたんや」とAは言い訳しました。Aの話だけでは納得できず、心配になったので、同級生のお母さんに事情を尋ねてみました。すると、

「あれは、A君とその子が口喧嘩から揉《も》み合いになって倒れたのを先生が見て、大袈裟《おおげさ》に注意しただけですよ」

と教えてくれたので、友達同士のちょっとした喧嘩かと、あまり気にしないようにしていました。

ところが、それだけでは終わりません。次には、友達三人と一緒に、同級の女生徒の体育館用シューズを燃やした上に、その子の鞄《かばん》を男子トイレに隠すという問題を起こしました。

私が、学校から呼びだされました。

Aと友達と被害にあった同級の女生徒、それに保護者で話し合いました。私はそのとき、被害にあわれたお嬢さんのお母さんの前で、「女の子は口が達者やから」と発言してしまいました。

そんなことを口走ったのは、その女生徒が私のことを何回も、「ブタ」と言っているのをAが聞きつけて、「自分のことはいいが、家族をバカにされたので頭にきてやった」

と説明したのを聞いたからでした。今考えると、あの場でそんなことを軽々しく口にしてしまった自分は、やはり愚かで無神経だったと、恥ずかしく思います。

でも、さすがの親馬鹿の私でも、靴を隠すぐらいならまだしも、靴を燃やすというAの度はずれた執念深さに、ショックを受けました。しかも、自転車のタイヤを刃物で切り刻んでパンクさせるなど、立て続けに問題を起こしたことも気になりました。

学校に呼ばれる度に、「えーっ、なぜそんなことを」とびっくりさせられ、担任の先生には、「お母さん、大変ですね」と労《いたわ》られたこともありました。

小学校六年生のときの万引き以来、この子には私の知らなかった面がまだたくさんある、と感じていました。

その万引き事件までは、Aは優しいところのある子だとずっと思っていました。

例えば、六年生時代のある友達とのこともそのひとつです。その友達は緊張したりすると、他人の傷付くことを平気で口走るという一種の病気で、クラスの中で浮き上がりほとんどの同級生が仲間外れにしたそうです。でも、Aだけはずっとその子と付き合ってあげていたというのです。学校でも「根は優しい子です」と言ってくださる先生もいました。

中学に入っても、私が買い物に行きながら買い忘れたものがあったときなど、Aに「ちょっとコープまで行ってきてよ」と頼むと、口では「ええーっ」と面倒くさそうなことを言いながらも、すぐに行ってくれました。普通、親の頼み事など嫌がる年頃ですが、そういう面は不登校中も変わりませんでした。

でも、それだけに中学に入ってから問題を立て続けに起こし、しかも異様なしつこさが気掛かりでした。靴を燃やすという行為は、悪戯《いたずら》にしては度はずれているし、あまりにもしつこ過ぎると思いました。

繊細な部分がある子なので、環境の変化に適応できてないのかもしれない、と思ったり、この子は情緒不安定なのかもしれない、とも考えました。前に書いたように、小学校三年生のときに驚かされた件もありましたから、もしかして脳に何か障害でもあるのではないか、と心配になりました。

脳に腫瘍《しゅよう》などができると、情緒が不安定になり、常軌《じょうき》を逸した行動をとる場合もあるということを聞いたことがあったので、もしかしたらと思い、知り合いの小児科の先生に相談してみました。

私は、病気でも何でも、親の不注意で子供に負い目だけは負わせたくない、病気への対応が遅れて取り返しがつかなくなったら、それは親の責任だ、と常々考えていました。

「ご不安であれば、ここで診察を受けられたらどうですか」

と知り合いの先生に、ある病院の小児神経科を紹介して頂き、Aを連れて行きました。

こういう診察を受ける機会はあまりありません。Aは、頭を強打した一歳半のときも、また小学校三年生で神経科に連れて行ったときも、MRIという脳のレントゲンを一回も撮ったことがありませんでした。ですから、

「念のためMRIを撮ってください」

通常は問診と性格テストぐらいだそうですが、思い切ってお願いしました。

その結果、脳に異常はありませんし、IQも七〇で普通です、と言われました。IQは別にお願いしていなかったのですが、先生が性格テストの一環として調べて、教えてくださったのです。

Aは小学校時代から勉強嫌いで、成績もあまりよくなく、中学でもほとんど2と3ばかりでした。

「テストは普段の状態がでればええんや。試験勉強しても同じやで、母さん」

Aはそういって点数にも無関心な風で、中間テストや期末テストのときもとりたてて勉強はしませんでした。

また中学に入ってもノートは何ページから何ページにかけては英語、何ページからは社会、理科……という風に何科目も一緒に同じノートで済ませていました。何度か注意しようとも思いましたが、本人のやり方があるから、まあいいかと見過ごして来ました。

でも、Aはノートに描く漫画や絵は小さい頃から上手でした。絵や工作は、親馬鹿か

もしれませんが、発想がユニークで上手い、と思っていました。もしかしたら、Ａは脳の左右のバランスが悪く、それで勉強がダメなのかなあとも考えたことがあります。

Ａは弟たちの成績に比べて自分の成績の悪いことは、自覚していたようです。小さい頃に私が弟たちと比較して、「Ａ、何でこんな点数悪いの」と言ってしまったことも原因かもしれませんが、勉強に自信が持てないようでした。

「勉強がアカンでもな、絵とかの発想はアンタ、誰にも真似できへんようなものを持っているやろ。これは素質なんやで。それを強調し、そっちを伸ばしていこか」

私はＡによくそう言って、興味のある方面で頑張ってほしいと願っていました。

私は、Ａには高校へ進んでほしかったのですが、本人自身にあまり執着がなく、今の成績では高校も無理かと、私も半ば諦《あきら》めていました。

しかし、ＩＱも人並みにあり、Ａは決してバカではないことも分かり、脳の障害も私の取りこし苦労だったと知って、本当に嬉しく、ホッとしました。

ただし、「注意散漫・多動症」とは診断されました。

細かい注意や関心が払えなくて、宿題や提出物について言われても、二、三日するとケロリと忘れてしまうというのが、注意散漫・多動症の症状だそうで、学校生活に様々な支障がでるということでした。

でも、これらの症状は大人になると次第におさまるそうで、該当する子供の割合は多く、「あえて診断名を付ければこうなります」と、先生から説明を受けました。

「A君が提出物をあまり忘れるようなら、『持っていった？』という確認だけをしてあげ、それ以外はあまりうるさく干渉しないで、見守ってあげてください」

それが先生のアドバイスでした。

病院からの帰り道で、私は嬉しくなって思わずAに言いました。

「お母さん、安心したわ。あんたも安心しい。どこも悪いとこはないんやて。ほら、レントゲンまで撮ってもらって確かめたけど、どこも悪くないからな。ＩＱもちゃんと普通で、頭も悪くないんやで。頑張れば、ちゃんとできるんよ」

「ふうーん」

私が喜んだ甲斐もなく、Aはあまり関心を示さなかったと思います。

しかし、後の審判時に、「Aは自分は周囲と違い、異常だと思い、落ち込んでいた」という精神鑑定の説明を聞き、あの子も自分なりに深刻に思い悩んでいたことを、初めて知りました。もしかしたら、よかれと思って神経科に何度か連れて行ったことが、逆に繊細なAの心を傷つけ、結果的に「自分は異常なのだ」と思い込ませてしまったのかもしれません。

中学一年の二学期に入っても、Aの勉強への意欲のなさは相変わらずでした。

Aと同級の女生徒のお母さんから「娘が友達に負けたくないって、塾に行き出して三カ月ほどしたら、成績がグーンと上がった」と聞いたので、「ええね、それって」と、さり気なくAを挑発してみたことがあります。

「あんた、仲のええ友達がええ成績取ったら、どんな感じする？」

「別に」

「悔しいとか思わんの？」

「なんでや？　勉強できる奴はできるねん。そいつはそいつ、頭がええんや。僕は僕やんか」

「それもそうかもしれんな……」

結局、Aには効果なしでした。

それでもAは、勉強が全滅というわけでもありませんでした。ビデオで洋画をよく見ている影響なのか、英語のヒアリングだけは唯一よかった。筆記テストは惨憺《さんたん》たるものでしたが。

暗記力もよかったと思います。画数の多い難しい漢字も、一度見ただけですぐ書けました。読書感想文などでは、いろんな文章を覚えていて、それを引用しながら、スラスラと流れるように、読みやすい文章を書いていました。

中学二年の冬でした。国語のテストの前日に私が、

「一晩で、百人一首を八十首以上覚えたら、五千円の小遣いあげるわ」

と冗談で言ったら、本当に一晩で百人一首を暗記して、いい成績を取ったこともありました。

「やればできるやんか、A」

と褒めると、Aは素直に喜んで、ほんの一時だけやる気を出したことがあります。しかし、それも長続きしませんでした。

中学一年のとき、私が古本屋で買ってきて二階の本棚に置いておいた、サダム・フセインについて書かれた本をAが見つけ、読書感想文を書いたことがありました。湾岸戦争の報道を見たとき、フセインのような独裁者で悪者として非難されている人物に、なぜイラク国民がついていくのか、と疑問が湧いて買った本でしたが、Aは単に本を買うのが面倒だったのか、その本の感想文を書いて提出しました。

Aの感想文は、フセインに関する解説ばかりが書いてありました。

「あんた、フセインについて自分がどう思うか書かんと。これやったら客観的すぎるわ。解説やんか」

Aの作文を読んでよく感じましたが、小さい頃からAは、友達や自分自身をも含めて客観的に見られる子供だったように思います。客観的というのが大袈裟ならば、妙に冷めているというか、傍観者のような感じなのです。ですから、あまり私や友達の意見に同調する子ではありませんでした。

例えば、友達がAに「家の親はこんなことでこんなに俺を怒るんや。信じられへんわ」と泣いて相談しても、Aは「そりゃあ、お前が悪いんや。自分が悪いの棚に上げて何言うとんよ。素直に反省した方がええで」と妙な慰め方をしていました。

そんな話を小耳に挟んだ私がAに、

「そんなこと言うたら、友達も立つ瀬ないやん。あんたに理解してほしいから、ああやって相談してるんやろ」

「悪いことは悪いってホンマのこと言うた方がええやろ」

Aは冷静に言い返してきました。

「あんた、子供のくせにちょっと子供らしないで。なんか冷たいんやないの」

Aは物の見方というか、感覚がちょっとトンデいるように感じることが、時々ありました。いやに大人びた見方をするかと思うと、誰でも知っているようなことを全く知らず、とても幼い部分があり、その落差が「天然のボケ」という感じを与える子供でした。

私もよく言い負かされましたが、それもAの個性と私は思っていました。しかし、妙に理屈っぽい部分は、学校の先生にはなかなか理解して頂けないようでした。

二年生になってしばらくして、Aが友達四人ほどと一緒に、同級の女の子を「バイ菌」と呼んで苛めているということで、また私が、学校に呼び出されました。ところが、Aたちは「俺らが、逆にあの女の子に悪口を言われ、苛められたんや」と言い、結局、私たち保護者とその女の子とAたちとの双方が話し合い、解決しました。

ようやく落ち着いたかと思っていたある日、Aが泣きながら家に帰ってきました。

「先生はぼくをおかしいと思ってるんや」

Aは長いこと、泣きじゃくっていました。

それは、Aが友達から打ち明けられた話が、原因だったようです。その友達の打ち明け話というのは、ある先生から「Aはちょっとおかしい子だから、一緒に遊ばないように」と注意された、というものだったと言うのです。

私はAの言葉を聞き、子供の心を傷付けた先生に怒りを覚え、すぐに学校に行きました。

「なぜ、その先生がそんな注意をしたのか、理由を教えてください。私が納得できる理由がないのなら、Aに謝ってほしい」

応対された生活指導の先生は、私にこう言われました。

「教師が子供に謝ったら、指導はできません。遊ぶなと言った先生には、今後そういうことは言わないように私から言っておきます」

私がそのことを夫に告げると、夫はＡをこう諭《さと》していました。

「お前は六年で万引きしたときから、中学校の先生には目をつけられてるんや。一回、悪いことをしてレッテルを貼られたら、挽回《ばんかい》するのは大変やぞ。よく分かったやろ。他の生徒より厳しい目で先生から見られていることを、忘れんようにせなあかんで」

Ａがその一年後、あんな酷い事件を起こした今となっては、結果的に先生の注意が正しかったと思います。でも当時、私は親として、Ａが傷つき友達を失うようなことを、陰で先生が生徒に言ったということが、どうしても許せなかったし、納得できなくて、学校に抗議に行ってしまったのでした。

中学一年生の頃は、まだＡにも友達が五、六人おり、わが家に遊びに来たり、友達の家に遊びに行ったりしていました。

友達が家に遊びに来たときに、おやつやジュースを持って二階の息子の部屋へ行くと、みなテンデバラバラに、喋ったり、ゲームをしたりして遊んでいました。

たまに耳にした会話は、友達らが「塾行くのがしんどい。でも親には言われへんわ」

とAにこぼし、それをAは、ただ「ふーん」と聞いているものでした。

二年年になってから、学校から帰って来ると、Aは「しんどい、しんどい」としきりに漏らすようになりました。めっきり口数が減って、暗い表情になり、友達と外にもあまり出掛けなくなりました。

「あんまりしんどいようやったら、休んだらええで。無理して行かなくてもいい」

私は、Aが担任の先生とうまくいっていないことはウスウス感じていたので、Aによくそう言いました。

「いいや、ええ。学校に行く」

Aは毎朝、学校に出掛けました。私も相変わらず学校へよく呼び出されました。

「先生は、関係ないのに、僕ばかりしょっちゅう呼ぶ」

学校のことはあまり話したがりませんでしたが、たまにポロッと漏らすことがありました。

「そうなん？　でも、まあ仕方ないやないの。小六年の万引きや中一年のときいろいろ問題を起こしたんやから」

当初、Aの呼び出しについては、私もずいぶん悩みました。けれども、近所のお母さん方との世間話などで、男の子が友達と喧嘩したり悪戯をしたりして、学校に呼び出されるのは、程度によりけりだが、どの家庭でもあることだと聞いて、慰められていたので、この子の悪い面が出て学校から叱られるのも、思春期や反抗期の年頃の男の子が通る道の一つと、ある程度は諦めていました。

でも、Aの無気力さだけは、妙に気に掛かっていました。

「みんな、僕のこと怖がってるみたいやわ」

「あんた、何かしたん？」

「誰かが、僕のあることないこと言いふらしてるから、そのせいとちゃうか」

Aは苛められてはいなかったのですが、クラスで浮き上がっているようでした。

家では、下の弟たちと取っ組み合いの喧嘩をすることはあっても、私に暴力を振るうということは一度もありませんでした。

むしろ、口答えの方が多かったと思います。

反抗期というと、あの子は小学三年生頃から、私が叱っても従順ではなく、

「母さんはそういうけど、僕は思わん。こうちゃうん？」

と口答えはよくしていました。

中学に入ると、私は「ふん」と軽くあしらわれ、ナメられていたので、夫が叱っていました。叱られると、反抗的な目付きはしましたが、父親にも殴りかかっていくようなことはありませんでした。

もともと自分からベラベラ喋る子ではありませんが、特に中学に入ってからは、私とは朝ご飯のときに顔を合わせて、

「夜、ご飯何にする？」

「別に何でもええ。あ、シューマイがええ（Aはシューマイが好物でした）」

「とんねるずの番組、見るわ」

こんな一方的な会話ばかりで、学校のことはほとんど喋らなくなりました。

次男の方はよく私と話をしたので、「中間、期末テストの日程」とか学校行事などは全部、次男から聞いて把握している状態でした。

「母さん、これ」

そんなAが、中学二年（一九九六年）の五月十一日、母の日のプレゼントに花嫁姿の私を描いてくれました。

Aは、他人によく思われようとする小細工のできない不器用な子でした。私に絵を手渡すと、トトーッと二階に上がっていきました。

「母さん、何かほしい？」

前の日に尋ねられたので、

「気持ちさえこもっていたら、別に何でもええよ。無理せんで」

すると、Aは私たちの結婚式の時の写真を押入れから探し出してきました。

Aは私の若いころの写真を見て、不思議そうに、

「母さん、この女の人、誰や？」

「母さんなんやけど」

「へえー」

私は出産後にずいぶん太ったので、Aや子供たちは分からなかったようです。

Aはその写真を見た後、漫画用の画用紙の裏に一気に描き上げてくれました。

Aが、私にプレゼントらしいプレゼントをくれたのは、これが初めてのことでした。

母の日は毎年、「母さんに楽をさせてあげる日」ということで、夫と息子三人がすべての家事をしてくれることになっていました。夫と三男がご飯を作ってくれ、Aや次男はお使いや庭でのゴミ焼きなどをよくやってくれていました。

また、母の日には、息子三人が肩凝《かたこ》り性の私の肩や手足をよくマッサージしてくれました。

「明日は母の日やで」

あまり早めに言うと三人ともすぐ忘れてしまうので、私は「母の日」の前日に、Aや息子たちによく催促したものでした。

「明日やったっけ。しゃあないな」

Aはそう言いながら、よくマッサージをしてくれました。ツボを押さえるのがうまく、非常に上手でした。

それを見て、弟たちも負けまいと、「お母さん、効いてるか。僕の方が上手いやろ」と競ってマッサージをしてくれました。

Aが手伝い以外にプレゼントをくれるなんて思いもかけなかったので、私は嬉しくて、嬉しくて、その絵を炊事場にずっと貼っていました。そして引っ越した今でも、この絵だけは大切に持っています。

しかし、その一方で、家では次々と不思議なことが起こっていました。当時は、まさかそれが、Aがあんな事件を起こす「前兆」とは、とても考えられませんでしたが……。

Aの中一か中二か、どちらか忘れてしまいましたが、春休みのときに、家の軒下の空気孔から、家では誰も使っていないはずの家庭用斧《おの》が出てきました。

「これ、どないしたん。あんたの？　誰の？」と、Aに尋ねました。

「ああ、僕が友達から預かったもんや」

「友達って誰やの？」

「○○や」

私は念のため○○君の家に電話し、お母さんに斧のことを尋ねました。

「ウチの子、預けた覚えない、知らん言うてるけど」

「……そう」

そのときは、Aと友達のどちらが嘘を言っているのか分からなかったので、それ以上は問い詰めませんでした。今思えば、もっとはっきりさせるべきでした。

結局、その斧は家では不要なので、「これ、拾ったんで使って下さい」と、私は自治会に私の名前で寄付しました。

真相は分かりませんが、もしかするとAが、猫を殺すのに使っていたのかもしれません。

Aが二年の時のゴールデン・ウィーク前後だったかと思いますが、猫の死体が出てきたことが一度だけありました。

炊事場の床の辺りから、たまに何かが腐っているような変な臭いがしました。

最初は、こぼし汁でも腐っているのかなと、念入りに掃除をしたりしたのですが、ぜんぜん臭いが消えません。そこで、夫に頼んで床下を調べてもらいました。

すると床下から、ウジが湧いた大きな猫の死体が出てきました。

そのとき、Aも含め子供たちと一緒に、あれこれ推理していたと思います。

「縁の下に入った猫が太りすぎて、隙間《すきま》から出られんようになって死んだのかな？」

「病気になって、ここで死んだのかもしれないな」

Aは弟たちと一緒に「気持ち悪い」などと言っていたので、まさかその当人が、猫を解剖しているなどとは、夢にも思いませんでした。

私は毎朝、子供たちが学校へ出掛けると二階へ上がり、部屋の窓を一斉に開けて、空気の入れ替えをするのが日課でした。子供たちが喘息だったので、塵《ちり》を少なくするために掃除機をこまめにかけ、天気のいい日は布団を全部干していました。

中学に入って、Aは六畳の一人部屋、下の弟たちは十二畳の大きい部屋にいました。

「母さん、机の上とか片づけんでええから、そのままにしといて。場所が分からんようになるやろ」

Aはよく私にそう注文しましたが、私はその場だけ「ごめんね」と言っては、必ず片づけていました。次男、三男の方はもう無茶苦茶でしたが、Aは机も部屋も自分でわりあい綺麗にしていました。

Aは小さい頃から、部屋のベッドの周りにイヌやクマのぬいぐるみを沢山置いていました。喘息になったときに、一度全部捨てて、毛羽立っていない布地のぬいぐるみに替えましたが、それを、中学に入ってもずっと後生大事に持っていました。

中学生なのにちょっと幼いかなあ、とは思っていましたが、子供で毛布の切れ端を持って寝る子もいれば、おくるみをずっと持っている子もいると聞いたこともあったので、まあ、時期が来れば勝手に手放すだろうと、放っていました。

Aがぬいぐるみを置くのを、夫は「男の子がいい年して幼い」と嫌がっていました。

掃除のときは、Aの机にあったノートに漫画のイラストが描かれていたことぐらいしか、印象に残っていません。また、Aが逮捕された後の家宅捜索のとき、警察の方に「犯行ノート」を見せられましたが、気が動転していて、「三月十六日」という日付以外は何が書いてあったのか、ほとんど読めませんでした。

Aが犯行にも使っていたナイフは、中学一、二年生のときだったと思いますが、掃除の折に二回ほど見つけて、取り上げたことがありました。それは、カッターより大きい本格的な刃の鋭いもので、Aは「竜馬ナイフ」と呼んでいたと、弁護士さんから聞きました。

そのナイフは、私が掃除をしにAの部屋に入ったとき、衣装ケースの中から出てきました。そのケースには、衣類を夏物と冬物を分けて入れていましたが、普段はあまり使わない引出しの中にしまってありました。

「ナイフなんか何に使うんやろ」

びっくりして夫に相談し、二人でAを問い詰めました。

「今ナイフが学校で流行っていて、クラスの奴はみな持ち歩いてるんや。友達と見せ合いっこもしてる。それに、これは友達のや」

「こんなモノ持ってたら、危ないやろ。お父さんが預かるわ」

と、夫はそれを取り上げました。

ところが、その後また見つけました。

二回目も「またか」と夫に叱られましたが、Aは前と同じように「友達のや」と言い訳したと記憶しています。


中学二年の十一月には、レンタルビデオ店でホラービデオを万引きし、警察に補導されたことがありました。そのときは警察から連絡があり、驚いて迎えに行きました。以前のように友達と一緒ではなく、一人で万引きをし補導されたのです。

家族の中では、Aと私だけが映画好きで、よくビデオを借りて見ていました。ですから、時間が合うときは一緒にレンタルビデオ店には行っていました。無断でビデオを持ち出せば警報が鳴ることぐらい、Aは分かっていたはずです。それなのに、なぜそんなことをしたのか、不思議でした。

「A、店のもんを勝手に持って帰ったら万引きやねんで。何でそんなことをしたの。ビデオなんか盗まんでも、借りたらええやないの。それに勝手に持って帰ったら、すぐブーと警報ブザーが鳴って見つかるのに決まっているでしょう」

「警報のブザーが鳴らない方法を友達から教えてもろたんで試したかったんや。それに万引きするときのスリルがおもしろいんや」

「あんた、他人のモノ取って何がスリルやの。それ泥棒やねんよ」

夫と一緒に、懇々《こんこん》と言いきかせたつもりでした。

しかし、万引き癖はいっこうに直らなかったようです。

私たちは事件後、家で見つけていたナイフも、実は万引きしたモノだったと初めて知りました。

私はあの子に小学六年時は月六百円、中学に入ってからは一年時は月千円、二年時は月二千円、三年時は月三千円とお小遣いを渡していました。Aは髪形を気にするわけでもなく、どこのスニーカーがほしいなどと服装にも関心を示すわけでもなかったので、あまりお金を遣っている様子もなく、たまに弟たちに小遣いを貸したりしていたようです。お金が無かったとは思えません。

万引きを止めなかったのは、やはりスリルからかもしれません。親の私たちも含めた日常生活に対する鬱憤《うっぷん》を、それで晴らしていたのでしょうか。

Aの部屋の衣装ケースからお酒の空瓶を見つけたことがありました。カクテルの空の小瓶だったと思います。

「あんた、なんでお酒なんか。中学生やろ」

Ａは黙っていました。

私は、男の子なので多少は仕方ないかなと思ったので、Ａに、

「未成年のときは、お酒は脳に悪いからアカンよ。でも、どうしても飲みたいんやったら、下に下りてきてお父さん、お母さんがおるとき、一緒に飲みなさい」

と注意しました。

私はお酒を飲みませんが、夫は晩酌にビール一缶、ウイスキー一、二杯は飲んでいました。ですから、どうしても飲みたいのならそうしなさいと言いましたが、Ａは決して一緒に飲みたいとは言いませんでした。

タバコに関しては、Ａの部屋に入ったときに何か臭うな、と思ったことはありました。夫は心臓を患って以来、禁煙していたので、家にタバコを吸う人はいません。おかしいと思い、Ａに尋ねたことがありました。

「あんた、タバコ吸うてるの？」

「ううん。吸ってへん」

タバコの箱や吸殻を発見したわけではないし、滅茶苦茶臭いがしているわけでもなかったので、それ以上は追及できませんでした。

後の家宅捜索のときに、部屋の押入れからタバコの空き箱が出てきて知ったのですが、

Aは二階の自分の部屋の窓から、吸殻を隣の家のガレージの屋根にポンポン捨てていたようです。

Ⅱ　不登校、そして忌まわしい事件が……

Aは二年生三学期の二月十日、三月十六日に、四人の小学生を襲う（山下彩花さんは死亡）連続通り魔事件を起こしました。

最初の事件の二月十日、Aは小学生の女の子二人をショックハンマーで立て続けに殴り、怪我を負わせていたのでした。

私はそんなことがあったとも知らず、同じ二月十日、Aが「靴を踏まれた」と言って、同じ中学の女生徒を尾けまわしたという問題で、学校に呼び出されました。

恐らくその直後、小学生の女の子を立て続けに殴ったのだと思います。

その日Aは、同じ中学の女生徒を家の前まで尾けて行き、玄関のドアを無理やり開けようとしているところを、やって来た友達に見つかって逃げた、と学校から説明を受けました。

一年生のとき、Aが女の子の靴を燃やしたことがありましたが、そのときと同じように「異常にしつこく、執念深すぎる」とショックを受けました。

学校からその女の子のお宅に連絡し、「Aを連れてお詫びに行きたい」と謝りましたが、女の子が怖がっているからと断られました。無理もないことでした。

家にAを連れて帰り、懇々と説教をしたつもりでした。

「あんた、いくら靴を踏まれたから言うて、女の子にそこまでしたらあかんでしょう」

「でも、謝ってもらおうと思っただけなんや」

「あんたねえ。口で謝ってもらうために、何も女の子の家まで行くことないでしょう。その場で言えば済む話やろ。そこまでしつこくすることないでしょう。誰でも靴を踏む間違いってあるやろ。靴踏まれたぐらいでいちいちカッと来て、そんなことしたらいかんよ」

「ふん。分かった」

私はAが、なぜ女の子にそこまでしつこくしたのか、さっぱり理解できませんでした。

「あんた、まさか、その子に気があったんやない？　フラれでもしたん？」

「アホか。そんなんやないわい」

そのとき、Aが「人を殺してみたい」という、恐ろしい願望を抱いているとも知らず、私は自分なりに原因を推理していました。

Aは見かけも地味でおとなしい子なので、その女の子に相手にもされずモジモジし、その腹いせに尾けまわしたのかもしれないと考えて、Aに尋ねてみたのですが、Aはまったく取り合いませんでした。

Aも思春期にあたる年頃です。周囲の友達にも彼女ができ、一緒に買い物に行ったりしているらしいと同級生のお母さんから聞いていたので、Aが女の子に関心を持つのも無理はないなどと、見当違いなことを思っていました。

夫からそれとなく性について話をしてもらおうと、「好きな子とかおらんの？」と尋ねてもらったりしたのですが、Aはさっぱり興味がない様子でした。

居間でAと一緒にテレビドラマなどを見ながら、私も尋ねたこともありました。

「Aもぼちぼち女の子とかがうちに遊びに来てくれてもええんやない。学校で気の合いそうな可愛い子おらんの？」

「おらんわ。興味ないもん」

「女の子に？」

「うん。友達とかあるみたいやけど、僕はあんまり興味ない。そういうのって変かな？」

「そやねえ。人によるけど、ちょっと幼いかも分からんよ」

その時点では、あの子の性的衝動が、猫の解剖や人間の死の方へ急速に向かっているとは、想像もつきませんでした。

翌月の三月十六日、Aは今度は山下彩花さんと別の小学生の女の子を襲いました。まさか息子の犯行だとは夢にも思いませんでしたが、通り魔事件はテレビや新聞で大きく報道されたので知っていました。

事件のあった一週間後に、重体だった山下彩花さんが亡くなったというニュースを居間で見ながら、「可哀相やねえ」と他人事のようにAと話していたと思います。

もちろんAは、自分がやったことをおくびにも出しません。いつもの調子で、「ふうーん」と相槌《あいづち》を打っていました。

その頃Aは、毎日夕方の六時か六時半頃には家に帰ってきていました。

当時私は、Aが部活の練習をしているものと思っていました。冬はその時間帯になると、もうすっかり暗くなり、家がある友が丘辺りは住宅地なので、明かりも少ないうえに静まりかえり、夜は少し不気味でした。

Aは小さい頃からとりわけ怖がりでした。

「母さん。帰ってくるとき、家の光が見えるとホッと安心するんや」

私はAのそんな言葉を聞いていて〈ああ、今、家はAや子供たちの憩いの場になってるんやわ〉と勝手に勘違いしていました。

「あ、ほんま？　そんな言ってくれてお母さん嬉しいわ」

Aは無気力なくせに学校で問題を度々起こし、〈この子、大丈夫なんかなあ……〉と心配していた時期だっただけに、ふだん無口なAがポロッと言ってくれたものだから、〈今、家の状態はいいんや。よかった――〉

愚かにもそう錯覚していた自分が、本当に情けなくなります。

警察に見せられたAの「犯行ノート」には、そのときの行為と心情が、こう綴られていました。

H9・3・16

愛する「バモイドオキ神」様へ

今日人間の壊れやすさを確かめるための「聖なる実験」をしました。その記念としてこの日記をつけることを決めたのです。実験は、公園で一人で遊んでいた女の子に「手を洗う場所はありませんか」と話しかけ、「学校にならありますよ」と答えたので案内してもらうことになりました。2人で歩いているとき、ぼくは用意していた金づちかナイフかどちらで実験をするか迷いました。最終的には金づちでやることを決め、ナイフはこの次に試そうと思ったのです。しばらく歩くと、ぼくは「お礼を言いたいのでこっちを向いて下さい」と言いました。そして女の子がこちらを向いた瞬間、金づちを振り下ろしました。

2、3回殴ったと思いますが、興奮していてよく覚えていません。そのまま、階段の下に止めておいた自転車で走り出しました。途中、またまた小さな男の子を見つけ、あとを付けましたが、団地の中で見失いました。仕方なく進んでいくと、また女の子が歩いていました。女の子の後ろに自転車を止め、公園を抜けて先回りし、通りすがりに今度はナイフで刺しました。自転車に乗り、家に向かいました。救急車やパトカーのサイレンが鳴り響きとてもうるさかったです。ひどく疲れていたようなので、そのまま夜まで寝ました。「聖なる実験」がうまくいったことをバモイドオキ神様に感謝します。

H9・3・23

愛する「バモイドオキ神」様へ

朝、母が「かわいそうに。通り魔に襲われた女の子が亡くなったみたいよ」と言いました。新聞を読むと、死因は頭部の強打による頭蓋骨《ずがいこつ》の陥没だったそうです。金づちで殴った方は死に、おなかを刺した方は回復しているそうです。人間は壊れやすいのか壊れにくいのか分からなくなりました。容疑も傷害から殺人、殺人未遂に変わりましたが、捕まる気配はありません。目撃された不審人物もぼくとかけ離れています。これというのも、すべてバモイドオキ神様のおかげです。これからもどうかぼくをお守り下さい。

Aが中学三年生になって間もない四月二十四日、Aが友達と一緒にタバコを吸っていた、と中学校の生活指導の先生が、三男が通っていた多井畑小学校の運動会の会場に、わざわざやって来られました。

詳しい内容は覚えていませんが、先生は「くれぐれもA君には親御さんから、よく注意してください」とおっしゃったと思います。

〈やはり、あの子、タバコ吸ってるんやわ〉

家に帰ったら、Aによく言ってきかさないと、夫とそんな話をしたと思います。

でも、なぜ中学校の先生が、Aのタバコのことでわざわざ弟の小学校の運動会までやって来て注意されたのか、不思議でした。

先生はノーテンキだった私たち親とは違い、様々な事情からAの状態を深刻に考えられていたのかもしれません。

そして五月十四日、「昨日、Aが同級生の友達を殴った」と学校から連絡がありました。

その連絡を受けたとき、私はおたふく風邪にかかった三男を、病院に連れて行かなければならない矢先だったので、仕事を休んで病院に定期検診に行っていた夫に連絡を入れ、学校の方へ回ってもらいました。

学校で夫が何を聞いても、Aは黙ってブルブル震えるばかりで、様子がおかしかったので、連れて帰ってきた、と言いました。

「なぜ、友達やった子を殴ったん？　なんで力のあまりない気のやさしいあの子に、そんなひどいことしたの？　理由言ってみ」

帰ってきたAに尋ねると、

「あいつは、僕が身体障害者を陰でいじめているって、塾で悪口を言いふらしたんや。その塾に行っている別の子から聞いて、二回ほど友達を通じて悪口言わんよう頼んだのに、それでも止めへんから殴ったんや」

Aは殴ったことをまるで反省せず、悔し涙を流し、友達が悪いと言い張りました。

Aが殴った友達は、一、二年頃からAと付き合っていた、おとなしい、いい子でした。家に来たときも、すごく明るい感じで、Aの親友とばかり私たちは思っていました。

事件後に弁護士さんに教えて頂いたのですが、Aは猫を殺しているなどとその友達に悪口を言いふらされ、腹を立てていたようです。

でも当時、私たちは、Aが猫殺しをしているとは全く知らなかったので、仲のいい友達と何かあって喧嘩して、Aもショックを受けたのかな、ぐらいに思っていました。

「いくら悪口を言いふらされても、ナイフで脅したり、拳《こぶし》に時計を巻いて歯が折れるまで殴って怪我させるのは、酷すぎるやろ。まして、あの子はおとなしい子で友達やんか。それにいくら殴っても、人の口に戸は立てられへんよ。とにかく、何があっても絶対、人に暴力を振るったらあかん」

夫と私でさんざん言い聞かせてから、Aを連れて三人でその子の家に謝りに行きました。

でも、先方のお母さんに「子供が怯《おび》えているから」と断られ、ご両親に謝って帰りました。

〈この子、一体、どないしたんやろ〉

ため息をつきながら、三人でとぼとぼ帰ってきたことを覚えています。

私たちは何度こうして、Aが暴力を振るった方々の家を謝りに訪ね歩いたことか。

Aは、茶髪やピアスをしているわけでもなければ、グレているという風貌《ふうぼう》でもなく、外見上はおとなしい子でした。家でも私たちに暴力を振るうこともありません。

カッとなるのは、思春期の中学生の男の子なので仕方ないと思っていましたが、どうも家で私たちが見ているAと、学校で暴力沙汰を次々起こす狂暴なAとは違う人間ではないか、という思いに駆られました。Aにもいい面、悪い面があることは分かっていましたが、謝ってばかりで済む問題ではないと、深刻に考えざるを得ませんでした。

「学校にはもう行きたくない」

Aがそう言い出したとき、しばらく学校を休ませた方がいい、と私も夫も思いました。Aにも言いきかせて、学校をしばらく休ませることにし、学校へ報告しに私が行きました。そして、そのときもう一つショックを受けました。

「人の命なんか蟻やゴキブリの命と同じや」

Aが職員室で同級生を殴ったことで先生方に説教されていたとき、Aがそう言い返してきた、と先生から聞かされたのです。私は呆然としてしまいました。

「えーっ、『ゴキブリも人間と同じ一つの命や』言うてませんでしたか?」

「違います。絶対、そうじゃありません。お母さん」

「……」

Aは、家と学校とではまるで逆のことを言っていたのです。

以前から、炊事場でチョロチョロしているゴキブリを私が叩くのを見て、Aは、

「母さん、そのゴキブリにも一つの命があるんやで」

よくそう言ったものでした。

「分かってるけど、ゴキブリが外におったら、お母さんもむげに叩いたりせえへんよ。けど、家の中やったら、あんたらの食べ物とかにバイキンが入って支障がでるやろ。人間に害を及ぼすやんか。矛盾してるかもしれへんけど、家の中で見つけたら、お母さん

も叩かんとしょうがないやろ」

Aはその後、何度かゴキブリについて食い下がってきました。

「でも、ゴキブリ一匹にも命がある」

半ば、私をからかっているような調子で、そう言い張りました。

「あんた、そない言うんやったら、このゴキブリ君、外に出してよ。そしたら、お母さんも殺さんで済むやろ」

でも、Aはゴキブリを外に出すこともなく、結局は私が外へ放り出していました。

今になって思うと、恐らくAは蛙やナメクジや猫の解剖をやりながら、命について自分なりに、いろいろ理屈めいたことを考えていたのだと思います。

私は学校の先生と相談し、しばらく様子を見るため、Aを児童相談所に通わせることにしました。

五月十六日から、私はAと一緒に児童相談所に通い出しました。

「あんたが行きたくない言うんやったら、無理に行かんでもええで」

「別にどっちでもええわ」

Aは嫌がるでもなくそう答えたので、通い始めたのです。

五月二十七日、六月五日、九日、十一日(両親だけ)、十六日、二十四日(相談所の先

生が家庭訪問）の計六回、逮捕されるまで通いました。

不登校を起こした当初のAは、生きる気力がないというか、思い詰めた様子で、今にも自殺でもしかねないのではと心配になるほど、暗かったと思います。

「一九九九年七月はノストラダムスの予言で地球は滅亡。終わりや」

Aは昔からよく冗談で言っていましたが、その頃は、

「世の中、面白くない。生きていても、楽しいことなんか何もない」

真剣な顔で呟くことがありました。

あるとき、炊事場で用事をしている私のところに来て、こうも言いました。

「母さん。僕が死んだら泣いてくれるか？」

「何言うてんの。アンタが死んだら、母さん生きてられへんわ」

「ありがとう」

何かの話の流れでそんな会話をしたと思いますが、Aが終始淡々とした口調で喋ったのが、妙に心の隅に引っ掛かっていました。何を考えているのか摑めず、Aの思い詰めた様子に、私も気が滅入《めい》り、すっかり落ち込んでいました。

「息子は生きる気力がない。投げやりなんです。その原因が何なのか、私には分かりません。専門の先生にその原因を探していただきたい」

児童相談所の担当の先生に、必死で相談しました。

頼れるのは、担当の先生しかいませんでした。

「ちょっと、様子を見てみましょう」

先生はそうおっしゃいました。

児童相談所には、朝十時頃に予約を取って、Aと一緒に通っていました。

名谷駅から地下鉄に乗って大倉山まで行き、そこから地下を通り、歩いて児童相談所まで行っていました。

「今日ぬくいな。服着すぎかな」

「うん」

「あの花きれいやな。何て言うんやろ？」

「知らん」

Aはもともとベチャベチャ喋る子ではないので、道すがらそんな会話にならないような会話をしたことぐらいしか、今はもう覚えていません。

いつも終わるのがお昼過ぎで、地下の喫茶店で一緒にサンドイッチ、コーヒーをとって家に帰ってきました。Aは人込みが嫌いなので、寄り道もしませんでした。

Aは、五月十五日から逮捕される日まで、ずっと家にいたので退屈なのか、学校に通っているときよりは自分から、私に喋りかけてくれるようになっていました。

朝は午前十時ぐらいまで寝ていましたが、私が二階に上がり、

「あんた、布団干すから起き」

と言って窓をガラッと開けると、Aはモソモソッと起き出し、それから遅い朝食を食べるのです。

ご飯を食べ終わった後も、そのまま炊事場か居間に残るようになりました。

当時、家の炊事場と居間との障子の仕切りを外していたので、Aは居間に居残ったときは、「母さん、母さん」と声をかけ、自分から炊事場の私の所にちょろちょろやって来ました。

不登校になって暇なのか、家の二階の本棚にあった分厚い美術画集を引っ張り出してきて、炊事場の椅子で真剣に眺めていることもありました。

「いま、僕はこれが面白いんや」

Aが気に入っていた絵は、ダリの「燃えるキリン」でした。Aにそう言われても、私は絵のことは無知でチンプンカンプンです。炊事場で洗い物など用事をしながら、

「へえ、けったいな名前の人やな。ダリア言うて覚えたら、名前覚えられるかな」

冗談交じりに、そんなことを言った記憶があります。

二階の本棚には、私が古本屋で買った漫画『拳児』『三国志』『婆羅門《ばらもん》の家族』、『ピカ

ソの伝記』などを置いていました。『ピカソの伝記』は、私が京都の美術展で友達と絵を見たとき、絵の善し悪しは分からなかったのですが、こんな絵を描く人ってどんな人間なのかと、興味が湧いて買ったものでした。

絵が好きなAも、棚から引き出して読んでいたかもしれません。

Aは映画の『ネバーエンディング・ストーリー』が大好きで、その原作本を親戚から貰ったことがありました。その本はかなり分厚い本でしたが、熱心に読んでいた記憶があります。

本は全部、二階に置いていたので、Aが何を読んでいたのかほとんど知りません。自分で買っていたのは、漫画ばかり。『行け！稲中卓球部』は、Aの大のお気に入りで、全巻買いそろえていました。書店にないとき、私に予約してほしいと頼むほどでした。

その漫画は、卓球部の中学生たちの物語ですが、登場する部員たちはみな、ちょっとへんてこでユニークなタイプの子ばかり。自分も卓球をやっていただけに、Aは大好きなようでした。

Aが家で読むのは、『ヤングマガジン』『少年ジャンプ』などのコミック雑誌ばかり。Aが本棚に置いていた漫画の単行本は、『笑ゥせぇるすまん』『珍遊記』『北斗の拳』『特攻（ぶっこみ）の拓』『ジョジョの奇妙な冒険』などでした。

精神鑑定のとき、Aはスメタナの交響曲が好きだと話していましたが、Aがクラシック音楽を聴いている姿を一度も見たことはありません。恐らくAは、私の妹から貰ったクラシック音楽集のCDを、部屋で一人で聴いていたのではないでしょうか。

私が知っているAのお気に入りの音楽は、ユーミンのCDでした。私の妹の家にAと一緒に遊びに行ったとき、妹が持っていたユーミンのCDの中の「砂の惑星」という曲をAが聴いてとても気に入り、帰ってから早速そのCDを買って、家でよく聴いていました。

月の砂漠をゆく　遠い異国のキャラバンのように
この世の果てまでも　あなたについて歩いてゆくわ
さあ　漂いなさい　私の海の波の　間に〳〵
ただ　泣きじゃくるように　生まれたままの子供のように
（中略）
さあ　安らぎなさい　お伽ばなしの夢の　間に〳〵
（松任谷由実『砂の惑星』ＪＡＳＲＡＣ出０１０５００６―１０１）

ていました。

「母さん、この曲聞いてみ。ええで、聞いてみ」

「砂の惑星」はアルバムの二曲目だったと思いますが、Aはその曲ばかり繰り返し聞いていました。

ビデオは、毎日のように見ていました。

Aは映画が大好きで、小学校の高学年からよくビデオを借りに行って見ていました。家族でビデオを見るのはAと私ぐらいなので、ビデオの好みや内容などについて話しました。

Aは怖がりなので、ホラービデオを決して一人で見ようとはしませんでした。

「こんなん作りものや」

そう言いながらも怖いのか、「母さんも一緒に見よう」と言って、わざわざ居間に下りてきて見ていました。

中学二年の冬、居間のテレビを買換えたので、古いテレビをゲーム用にして、Aの部屋に置きました。Aはそれほどテレビゲームには熱中しなかったので、部屋ではビデオを見ていたのではないかと思います。

不登校中は、私もAの部屋でビデオを一緒に見たこともありました。

私が知る限りのAは怖がりでした。

一応どんなのを見るか知りたかったこともあり、レンタルビデオ屋さんには、よくAと一緒に借りに行きました。

Aはホラーばかりを好んで見ていたわけではありません。ジャンルを問わず、もう手あたり次第見ていました。

Aはジム・キャリーとロバート・デ・ニーロがお気に入りの俳優でした。『ケープ・フィアー』『ザ・ファン』、ジム・キャリーの『マスク』は、ダビングして何度も見ていました。その他、ブルース・ウィルスの『ダイ・ハード』のシリーズ、スティーブン・セガールの『沈黙の要塞』のシリーズ、『レオン』、アーノルド・シュワルツェネッガーやシルベスター・スタローンなどの映画——。

もちろん、ホラーも借りてました。

『13日の金曜日』シリーズは、全部見ていたと思います。

Aは映画の主人公のジェイソンが好きで、よくノートに似顔絵を描いていました。ジェイソンが被っている、プチプチと丸い穴の開いた白い仮面と手足の絵を描き、私が見ても、すぐジェイソンだと分かる絵でした。

Aが描いていた「酒鬼薔薇聖斗」のマークは、事件後に供述調書を見て知りましたが、ジェイソンの似顔絵と似ていると思いました。

あとは『エクソシスト』『オーメン』『エルム街の悪夢』、『マイキー』という子供が残酷な殺人者だという映画も見ていました。居間でAが見ているのを、私は炊事場から覗いてましたが、『マイキー』はちょっと内容がよくないと思い、注意しました。『遠い夜明け』など、ちょっと見るのがしんどい社会派ドラマも、嫌がらずにジーッと見ていたのを覚えています。

「映画は作りものや」と言っていたAは、ビデオを見て泣くことはめったにありませんが、『エレファントマン』を見たときは、「可哀相やなあ」と一緒に泣いていたことも覚えています。

映画を見終わると、「この映画、こんな感じやな」などと、Aと感想をよく言い合いました。Aは実体験の乏しい年齢なので、映画を通して大人の社会の縮図のようなものを見ていたのではないか、と思います。

ヒトラーについては、あの子と一緒にNHKの『ヒトラーの野望』というドキュメンタリー番組を一緒に見たあと、『わが闘争』を買ってほしいとせがまれて、文庫本を買いました。

「へえー、すごいな」

Aはヒトラーに感銘を受けたようでした。

「ヒトラーは善人でない独裁者やけど、下からはい上がってあそこまで出来た。人間の能力ってすごいなあ……」

二人でそんな話をしていたと思います。

私は本当にごく平凡な人間ですから、何かを成し遂げる人というのは、普通の人と何が違うのか、どんな環境で成長したのか、といった点に興味はありました。

でも、Ａに買ってあげた本らしい本は、それぐらいだったと思います。

Ａは児童相談所から家に帰ると、自分の部屋に行きます。

「お茶いれたけど、飲む？」

下から私が声をかけると、ドドドッと二階から下りてきました。飲みながら、しばらくテレビやビデオなどを一緒に見て、ちょっと喋るとまた、二階にヒューと戻ってしまう。そんな毎日だったと思います。

Ａは昔から口下手な子で、自分が興味あることしか喋らず、私の話に相槌を打つだけのときもありました。

児童相談所では、Ａと私は別々に面談を受けていましたが、最初の頃Ａは、性格テストをやっていたと思います。

数学はダメだったはずですが、結果は「幾何学的な発想が優れている、こうなったらこうなると推理しながら投影法を使って絵が描ける」ということを、先生に言われました。

性格は「摑み所がなく、分かりにくい」と、先生もおっしゃっていました。

淳君の遺体の頭部が友が丘中学の正門で発見された五月二十七日。

午前十時に児童相談所の予約が出来たので、私とAは九時頃に家を出ました。

友が丘中学に通う次男が、朝八時半頃帰ってきて「自宅待機になった」と言うので、淳君に何かあったのではと思い、私は土師さんのお友達の奥さんと、「淳君が見つかったのかもしれない」と電話で相談し、すぐ土師さんのお宅に連絡を入れました。

ご両親はいらっしゃらず、お兄さんが電話に出て、「淳が見つかった」とだけ泣きながら話されただけで、あとは話ができませんでした。

私はそれ以上は何も聞けず、土師さんのお宅に行った方がいいのではないかと気になりながらも、予約が十時だったので、Aを連れて家を出たのです。

道路が封鎖され、バスがすごい渋滞に巻き込まれてしまい、辺りは騒然としていました。

何かがあったということは分かりましたが、詳しいことはまったく分からず、Aと一緒に急いで歩いて駅まで行きました。

当然、二人で淳君の話はしたと思いますが、ほとんど記憶には残っていません。Aの様子にも、特に記憶に残るような変化はありませんでした。

私が先に面談を終えて、階下でAを待っていると、テレビのニュースで友が丘が映り、淳君が校門で発見されたと、何度も報じていました。

「さあ　ゲームの始まりです
愚鈍な警察諸君
ボクを止めてみたまえ
ボクは殺しが愉快でたまらない
人の死が見たくて見たくてしょうがない
汚い野菜共には死の制裁を
積年の大怨に流血の裁きを
　SHOOLL　KILLER
学校殺死の酒鬼薔薇」
（校門に置かれていた『挑戦状』より）

淳君のことはよく知っていたので、私は見ているうちに恐ろしくなり、ドキンドキンと心臓が鳴り、足がガクガク震えてしまいました。

公衆電話から、家にいた子供たちに急いで電話を入れました。

「お母さん、すぐ帰るから。家の戸締り、ちゃんとせなあかんよ」

面談を終えたAも下りて来て、ニュースを一緒に見ていました。一応、驚いているように見えましたが、別に何も言わず、表情もなんら変わらなかったと思います。

「A、早う帰ろう。怖いから早く帰ろ」

「うん」

「何で淳君がこんなことに……。可哀相に……」

「そうやな」

「怖いわ。誰がこんな酷いことをしたんやろ。腹が立つわ。戸締りとかAも気を付けてよ」

情けなく、間抜けな話ですが、犯人である息子を目の前に、私は一人で興奮して喋っていました。もし、このときAが興奮するとか、慌てるとか、少しでも異常が見えれば、何かちょっとは勘づいたかもしれません。

でもAは、まったくの無表情、無関心な様子で、普段と少しも変わりはありませんでした。

「僕、絵習おかな。絵の学校に行ってもええかなあ」

日付は定かではありませんが、児童相談所に通ってしばらくし、私と居間で喋っていたときに、Aがポツリと言い出しました。

〈やっとAが前向きな話をしてくれた〉

私はもう嬉しくて有頂天になり、

「ええんやない。A、あんた、絵の専門学校行って、それから先考えてもええねえ。お母さん、先生に聞いて専門学校探してみるわな」

Aの進学については一学期を越えたら考えなければと、前々から思っていましたが、当時の成績から言っても入れそうな高校はない上に、不登校になってしまったので、もう絶望だろうと思い悩んでいた矢先でした。

無気力で、生きる意欲がないように見えたAが、自分から「行ってみようかな」と言い出すのは、私から見ると、本当にすごい、すごい進歩でした。

せっかく意欲を見せてくれたのだから、Aに合う専門学校を見つけたいと、久しぶりに浮かれた気分になりました。

六月に入った頃、児童相談所の担当の先生が話してくださいました。

「A君は防御がきつくて分かりにくい性格ですが、優しい面もあり、ちゃんと物事を考えられる子ですよ。描いた絵も、発想がユニークで面白いです。時間をかければ、いい方向に向かいますよ」

学校で問題ばかり起こしていたAを、先生に褒めて頂けたと思うだけで、嬉しくて涙が溢れました。そのときAは、先にカウンセリングが終わって、下で待っていました。階段を下りて行った私の顔を見て、Aは、

「母さん。どないしたん？　何で泣いてるん？」

と不思議そうに尋ねました。

「〇〇先生がな、Aはええとこがあるって今褒めてくれたんやで。何かもう、感激してもうて、お母さん……」

Aはちょっと照れながら、素《そ》っ気《け》なく、

「ふうーん、そう」

とだけ答えていました。

あんな酷い事件を起こしておきながら、皮肉なことにAは六月に入り、夫や弟たちとも少しずつ喋るようになり、元気が出てきていた様子でした。

弟たちとダウンタウンの番組を一緒に見て、笑ったり、キーキーと声を出して騒ぐこともありました。

Aは児童相談所に行くことを嫌がるわけでもなく、「行くよ」と声を掛けると、「はー

い」と返事をし、ヌーボーと私の後ろから付いてきました。

日曜の土手や道端の草刈りにしても、嫌々といった感じながらも自分から「やるわ」と言って、家から出てきて手伝っていました。私が出かけるときに作って置く、お昼のお弁当を半分ぐらい残していたこともありましたが、もともと食の細い子だったので、これも別段不審にも思いませんでした。

ビデオを見るのも、その頃はあまり自分の部屋に籠もらず居間に下りてきて、私にまとわりつくようにして見ながら、「このシーンええな」などと話し掛けてきたりするようになりました。不登校を始めた頃の暗い印象から、わずかながらも変化の兆しが見えてきて、私たちは嬉しく思っていました。

本来なら中学生は学校に行っているはずですから、Aには「午後三時までは出歩かないように」という注意だけし、あとは別に何も口出しはしませんでした。

淳君が行方不明になったときも、Aの洋服の汚れなどには、特に気が付きませんでした。

でも、私の目には怖がりだったあの子が、夜半にこっそりと二階の自分の部屋の窓から抜け出し、遺体の一部を家に持って帰って天井裏に隠したり、校門に置きに行ったりしていたとは、夢にも思いませんでした。

しかも、Aの心に好転の兆しが見えはじめたと私自身が感じだした矢先の六月、家族が寝静まった夜中に、独り「犯行声明文」をせっせと書き綴り、家にあった封筒や切手やビニールテープを使って、神戸新聞社へ書き送っていたとは……。

神戸新聞社へ

この前ボクが出ている時にたまたまテレビがついており、それを見ていたところ、報道人がボクの名を読み違えて「鬼薔薇」（オニバラ）と言っているのを聞いた。人の名を読み違えるなどこの上なく愚弄な行為である。表の紙に書いた文字は、暗号でも謎かけでも当て字でもない、嘘偽りないボクの本命である。ボクが存在した瞬間からその名がついており、やりたいこともちゃんと決まっていた。しかし悲しいことにぼくには国籍がない。今までに自分の名で人から呼ばれたこともない。もしボクが生まれた時からボクのままであれば、わざわざ切断した頭部を中学校の正門に放置するなどという行動はとらないであろう。

やろうと思えば誰にも気づかれずにひっそりと殺人を楽しむ事もできたのである。ボクがわざわざ世間の注目を集めたのは、今までも、そしてこれからも透明な存在であり続けるボクを、せめてあなた達の空想の中でだけでも実在の人間として認めて頂きたいのである。それと同時に、透明な存在であるボクを造り出した義務教育と、義務教育を生み出した社会への復讐も忘れてはいない。

だが単に復讐するだけなら、今まで背負っていた重荷を下ろすだけで、何も得ることができない。

そこでぼくは、世界でただ一人ぼくと同じ透明な存在である友人に相談してみたのである。すると彼は、「みじめでなく価値ある復讐をしたいのであれば、君の趣味でもあり存在理由でもありまた目的でもある殺人を交えて復讐をゲームとして楽しみ、君の趣味を殺人から復讐へと変えていけばいいのですよ、そうすれば得るものも失うものもなく、それ以上でもなければそれ以下でもない君だけの新しい世界を作っていけると思いますよ。」

その言葉につき動かされるようにしてボクは今回の殺人ゲームを開始した。

しかし今となっても何故ボクが殺しが好きなのかは分からない。持って生まれた自然の性《サガ》としか言いようがないのである。殺しをしている時だけは日頃の憎悪から解放され、安らぎを得る事ができる。人の痛みのみが、ボクの痛みを和らげる事ができるのである。

最後に一言
この紙に書いた文でおおよそ理解して頂けたとは思うが、ボクは自分自身の存在に対して人並み以上の執着心を持っている。よって自分の名が読み違えられたり、自分の存在が汚される事には我慢ならないのである。今現在の警察の動きをうかがうと、どう見ても内心では面倒臭がっているのに、わざとらしくそれを誤魔化しているようにしか思えないのである。ボクの存在をもみ消そうとしているのではないのかね。ボクはこのゲームに命をかけている。捕まればおそらく吊るされるであろう。だから警察も命をかけろとまでは言わないが、もっと怒りと執念を持ってぼくを追跡したまえ。今後一度でもボクの名を読み違えたり、またしらけさせるような事があれば一週間に三つの野菜を壊します。ボクが子供しか殺せない幼稚な犯罪者と思ったら大間違いである。

—ボクには一人の人間を二度殺す能力が備わっている—

（神戸新聞社への『犯行声明文』より）

犯行声明文は当時、新聞で読んでいましたが、自分の息子が書いたものとは想像もできませんでした。六月五日、九日、十六日と、私はいつもどおりAと一緒に児童相談所へ通っていました。

Aは側《そば》で、私の鈍さをあざ笑っていたのかもしれません。

六月二十四日、児童相談所の先生が家庭訪問に見えられて、Aの部屋に行って二人だけでいろいろと話されたようでした。

「児童相談所で話しているときと違うね、A君は。だいぶん打ち解けてきましたよ」

〈よかったあ……〉

私は先生に、絵の学校に行きたいというAの話もしました。

「だいぶんいい傾向ですよ。お母さん」

私は嬉しくなり、「また、こちらの方に来られるときは、いつでも家にお寄りください。お願いします」と先生に言いました。

児童相談所の次回は、六月三十日に予約を入れてありました。

そのとき、先生にAの絵の学校や今後のことについて、もっと具体的に相談しよう、そんな風に考えていたのです。

その四日後、Aは淳君の殺害容疑で逮捕され、もう二度と児童相談所に通うことはありませんでした。

信じていただけるかどうか分かりませんが、これが私が思い出す限りのAとの会話、生活でした。児童相談所に通っていたときも、逮捕前日も、Aの様子は私の目から見て普段と何ら変わりがありませんでした。

私が母親としてあまりに鈍かったのかもしれません。

それとも、あの子は本当に二重人格の殺人鬼だったのでしょうか。私には分かりません。でも、一瞬でもAに疑いを感じたことはありませんでした。

あれだけ側にいながら、事件を引き起こしているとは、想像もつきませんでした。

愚かな親ですが、私はAが逮捕されて会えない間じゅうずっと、最後までAを信じてやりたかった。

子供にそんな酷いことが出来るわけがない。いい子ではないけど、百パーセント信頼し、愛していた息子を疑うことは、どうしてもできませんでした。

思春期にモヤモヤした妄想を抱いたとしても、普通の子供であれば、それは空想だけで止まります。

私たちはAを止めることが、なぜできなかったのか。悔やんでも悔やみきれません。

もし、私たち親があの子の中学生活の中で、何でもいいから、本当に打ち込めることをひとつでも上手に見つけてやっていれば、Aはあんな事件を起こさなかったかもしれません。

私は息子を自慢にはできませんでしたが、やはり愛情は多く、深く持っていました。

Aは自分が愛されていないと思い込み、犯行へと突っ走って行ったと、マスコミなどでよく専門家の方が指摘されています。

あの子に私の気持ち、親としての愛情をどうやって伝えれば、うまく伝わったのでしょうか?

私は、あまりにも不器用な母親だったのかもしれません。そしてAも……。それが最後まで悔やまれてなりません。

息子の凶行により、尊い命を失われた土師淳君、山下彩花さんのご冥福を心からお祈りいたします。それとともにご家族の方々にはただただ申し訳なく、お詫びするばかりです。

私の至らなさで、取り返しのつかない結果となり、本当にすみませんでした。

最後になりましたが、Aの通っていた友が丘中学校の岩田信義校長（当時）はじめ諸先生方、多井畑小学校の橋本厚子校長はじめ諸先生方には、息子の事件で本当にご迷惑をおかけし申し訳ありませんでした。特にAの三年生の担任の先生には、本当にご迷惑をおかけした上、最後まで励まして頂きました。また、次男、三男の担任の先生方にも大変にお世話になりました。心よりお詫び申し上げますとともに、お礼を申し上げます。

六章　Aの「精神鑑定書」を読み終えて〈母の手記〉

あの忌《い》まわしい事件から約二年の歳月が過ぎ、Aは今年七月、十七歳になります。

Aは現在も東京・府中の関東医療少年院にいます。私たち夫婦はいく度か府中を訪ねましたが、まだ二回しかAとは会えてはいません。

一九九七年の暮れ、初めて私たちが少年院を訪ねたときも、Aは私たちと決して目を合わそうとはしませんでした。

少年鑑別所よりは、いく分こざっぱりした四畳ほどの面談室のソファーに、私と夫、Aと教官の先生がさし向かいで座るのですが、会話は途切れ途切れでしかありません。

「元気にしてるか？」

「うん。……」

「喘息出てないか？」

「別に……」

「……」

「……」

会話にならない会話しか交わせず、面談室で顔を合わせても、Aは目線をいつも私たちから逸らせているのが、ありありと分かりました。

Aはいつも隣の教官の先生とばかり話をし、私たちは黙ってそれを聞いている。その繰り返しでした。

〈この子、要は親と会うのが、嫌なんやなあ〉

私が一人で少年院を訪ねたとき、〈Aが話すのが嫌なのであれば、それはそれでもういい〉と開き直って、

「Aとゲームをさせてください」

先生に思い切ってお願いしました。（今、府中でAは、Aとは分からないように暮らしています。何のゲームをしたかと具体的に申し上げますと、指導して下さっている府中の医療少年院の先生方にご迷惑がかかってしまうので、ここでは控えさせて頂きます）

Aは嫌々ながら付き合ってくれました。

終始、不貞腐《ふてくさ》れた様子でしたが、私はせめてもう少しでもいいから顔を見ていたい一心で、ゲームをしていました。

先生も私の気持ちを配慮してくださり、ゲームの間ずっと側で見守ってくださいました。本当にありがとうございました。

しかしその後、Aは私たちと会わなくなりました。

去年六月に会いに行く前、先生にご連絡すると、Aが「会う」と言っていると聞かされ、私たちは夫婦揃って新幹線に飛び乗り、やっとの思いで東京・府中まで辿《たど》り着いたのに、

「『やっぱり、会いたくない』と、A君が朝になって急に言い出したもので……」

と教官の先生は、気の毒そうにおっしゃられました。

「……そうですか」

私たちは、肩を落として帰るしかありませんでした。

私が無理に頼んでゲームをしたのが、よくなかったのかもしれません。

あれ以降はAとは会えず、教官の先生方とだけお会いし、現在の様子を聞いています。

まだ治療の途中の段階なので、詳しいことは聞いていませんが、Aは少しずつ先生方に心を開きつつあるようです。心配していた精神病などの発病は、まだありません。

でも、Aが心から自分の罪を反省するのには、まだまだ時間がかかるでしょう。

「ご両親がA君に会いたい気持ちはよく分かりますが、まだ治療の段階なので、お会いになるのはしばらく控えてください。もう少し私たちに時間をください」

先生はこう説明してくださいました。

医療少年院の先生方は、チームを組んで一生懸命Aの治療に当たってくださっています。Aも先生方に懐いている様子で、いく分か落ち着いて暮らしているようです。

先生方を信じ、あれこれ子供のことに口を挟むのはやめようと、夫と話し合いました。無力な私たちは今、Aが帰ってくるのを家で待つしかありません。


Aから手紙は何通か私たちの所に届いています。

その中身は、鉛筆でメモのように二行ほど書かれた手紙ばかりで、中にはよく読めない字のものもありました。

「○○を送ってくれ」

詳しい内容は申し上げられませんが、被害者の方々に対する反省の言葉はおろか、私たち家族に対しても、「元気ですか」のひと言もありません。手紙には、自分がほしい物を頼む用件しか記されていません。

たまたま私が送る物を間違えたときなど、

「今度、間違えたら、もう送って頂かなくても結構です」

と書かれていました。

こんな手紙でも、少しずつAが本音を見せてくれているのかなと思いながら、頼まれた物を月に一度のペースで買い送っています。

今はコミュニケーションの手段がないので、私もAに手紙を書いています。

「Aの夢を見ました。送った物は届きましたか？　家族は元気にしていますよ。こんなことが最近ありました。体調はいいのですか？　喘息は大丈夫？」

私は感情表現が苦手で、あまり手紙を書くのは得意ではありません。いつも同じような文句ばかりが並び、短い手紙しか書けませんが、それでも一生懸命書き綴っています。

私たちの暮らしは少しずつ落ち着いてきたところです。

二人の弟たちは、ようやく新しく通っている学校にも慣れ、友達もぱらぱらとできているようです。

でも、二人とAの話をすることは、ほとんどありません。

Aが医療少年院に送致されたとき、私は二人にこう頼んだことがありました。

「お兄ちゃんを恨まないでやってな。（少年院から）出て来たら、あんたら兄弟なんやから助けてあげてよ」

「……分かってる」

複雑な表情を見せ、二人は下を向き、そうとだけ答えました。

二人は以降、Aの話題をほとんど口にしません。

家で私と夫が府中に行く段取りなどAの話をしていると、それを聞いた弟たちの表情が硬くなり、黙りこくってしまうこともしばしばです。

下の二人は事件前まで友達も多く、天真爛漫《らんまん》で明るい子供でした。最近はようやく元気を取り戻しつつありますが、Aの話題が出ると、あの逮捕時の生活を思い出すのでしょうか、萎縮してしまうようです。

でも、弟たちは兄であるAを決して恨んだり、憎んだりしている様子は感じられません。それは見ていて分かります。

でも、あくまで私が表面的に子供たちを見てそう判断しているのであり、内面の深い部分で、事件のことやAのことを、本当はどう考えているのかは分かりません。今の私には、子供の本心を読み取る自信がまったくありません。

Aのことは私たち親の責任であって、下の子供たちには何の関係も責任もありません。なのに弟たちに肩身の狭い思いをさせていると思うと、胸が詰まり、今後の二人の将来を思うと、やり切れない気持ちになります。


私は今回の事件で、子供の母親としての大切な何か――どう表現していいのか分かりませんが、子供の「お母さん」であることの自信が、まったく崩れてしまいました。

自分の子供のことが分からない、惨めな自分しかいません。

子供が深い内面の部分で、何を考えているのか？　いつまでも子供だと思っていた我が子が、時に恐ろしい存在になりうることに、ただただショックを受けている状態です。あんな残忍な行為をしでかしたAですが、自分が生んだ子です。怖いとはどうしても思えません。でも、自分の子供が分からないことがどうしようもなく恐ろしいと思います。

〈早く立ち直らないといけない。被害者の方々のためにできることは何でもやらせていただきたい。次々とテキパキと行動しなければ……〉

と思いながらも、部屋に閉じこもり、頭が働かず、何も手に付かず、ただ壁を見つめてボーッと座っているだけの無力な自分が情けなく、泣き濡れています。今はAのことを考えると、自動的に涙が出てしまう有り様です。

情けないと思いますが、事件のショックはやはり大き過ぎる打撃でした。

私は、以前は子供のためなら怖いものはない、たいていのことは耐えていける自信を持っていました。自分の子供のためには何でもしようと思い、人に頭を下げて謝ることも、また学校の先生方と言い合うこともできました。

子供のためによかれと思ったことが、かえって子供を追い詰めた。

追い詰めるばかりで、自分は親として息子の変化も何ひとつ気付いてやれなかった。

Aは何を思い、〈生きていても意味がない〉と思い詰め、あのような恐ろしい行為にひた走ったのでしょうか？

しかし、自分と息子を嘆き、現実から逃げてばかりではいけない。審判が終了して、報道など周囲が落ち着いてきた頃、弁護士の先生にお願いして、Aの「検事調書」と「精神鑑定書」を、初めて読ませて頂きました。

Aが何を考え、被害者の方々にどんな酷い仕打ちをしたのか（報道で見聞きしてはいましたが、Aの供述など詳しい状況は知りませんでした）、キチンと知っておかねばならないと思ったからでした。

●Aの精神鑑定主文

「非行時、現在ともに顕在性の精神病状態にはなく、意識清明であり、年齢相応の知的判断能力が存在しているものと判定する。

未分化な性衝動と攻撃性との結合により持続的かつ強固なサディズムがかねて成立しており、本件非行の重要な要因となった。

非行時ならびに現在、離人症状、解離傾性が存在する。しかし、本件一連の非行は解離の機制に起因したものではなく、解離された人格によって実行されたものでもない。

直観像素質者であって、この顕著な特性は本件非行の成立に寄与した一因子を構成している。また、低い自己価値感情と乏しい共感能力の合理化・知性化としての「他我の否定」すなわち虚無的独我論も本件非行の遂行を容易にする一因子を構成している。

また、本件非行は、長期にわたり多種多様にしてかつ漸増的に重篤化する非行歴の連続線上にあって、その極限的到達を構成するものである。

家庭における親密体験の乏しさを背景に、弟いじめと体罰との悪循環の下で「虐待者にして被虐待者」としての幼時を送り、〝争う意志〟すなわち攻撃性を中心に据えた、未熟、硬直的にして歪んだ社会的自己を発達させ、学童期において、狭隘で孤立した世界に閉じこもり、なまなましい空想に耽るようになった。

思春期発来前後のある時点で、動物の嗜虐的殺害が性的興奮と結合し、これに続く一時期、殺人幻想の白昼夢にふけり、現実の殺人の遂行を宿命的に不可避であると思いこむようになった。この間、「空想上の遊び友達」、衝動の化身、守護神、あるいは「良心なき自分」が発生し、内的葛藤の代替物となったが、人格全体を覆う解離あるいは人格の全面的解体には至らなかった。また、独自の独我論的哲学が構築され、本件非行の合理化に貢献した。かくして衝動はついに内面の葛藤に打ち勝って自己貫徹し、一連の非行に及んだものである。（以下略）」

（編注1＝「直観像素質者」……パッと一瞬見た映像が、まるで目の前にあるかのように鮮明に思い出すことができる能力がある人のこと。しかし、一度見たものが、数年後でも原色で色鮮やかに記憶の中に再現されるので、その残像に苦しむケースもある。編注2＝「解離傾性」……意識と行為内容が一致せず、落差がある状態のこと。夢遊病者などもその一種）

鑑定書は専門家の先生が書かれており、難しい言葉ばかりが並んでいて、私たちのような平凡な人間には、大変わかりづらい内容でした。

けれども、精神科の先生方などにアドバイスを頂き、次のようにおおよその意味だけはぼんやりと摑むことは出来ました。

――Aは犯行のとき、精神異常の状態ではなくて、十四歳という年頃相応の知的判断ができ、意識もしっかりしていた。裁判などでよく争われる、「心神耗弱」というような状態ではなくて、鑑定の結果では、ふつうの責任能力があったと判断された。

Aには「解離性同一性障害」の兆候という、「多重人格」のような障害が少し出ていたけれども、犯行のときには自分の意識がしっかりしていて、あくまで正気だった。

Aの家庭環境は愛情に溢れたものでなく恵まれなかったこともあり、毎日のようにAは弟を苛めた。そのため、母親である私から厳しく叱られ、虐待され、暗い幼児期を過ごすという「苛めっ子でありながら苛められっ子」の状態で、それがその後の歪んだAを作り上げた。

小学校の高学年から動物を虐待して、次々と殺害することによって、Aは性的な興奮を覚えるようになり、その性的興奮が「人を殺してみたい」という幻想に変わり、いずれ殺人を犯すことが自分の運命であり、避けて通れない道と思い込むようになった。

孤独なAには、空想上の悪い友達「酒鬼薔薇聖斗」「バモイドオキ神」などがたくさんいて、通り魔事件を起こした時点で、今まで幻想の中でだけであった殺人という一線を越え、性的なものも含めて、欲望のままに殺人を犯してしまった。……

頭では分かっていても、今でもA自身のこと、鑑定書の内容はピンとこず、よく理解できません。でも、鑑定書の中にはAと鑑定医の先生方との面談記録があり、あの子自身が事件について話し、被害者に対して身の毛もよだつような恐ろしい行為を行なったことが書き連ねてありました。

その中でAは、後悔し、反省するどころか、平然と自分を正当化する理屈を鑑定医に語っていました（以下すべてのAの証言は鑑定書から拾い書きしたもので、語尾など多少は原典と異なるかもしれませんが、意味は違っていないはずです）。

「自分以外の人間は野菜と同じ。だから切っても潰しても構わない。誰も悲しむことはない。これは僕のオリジナルの思想で『エクソファトシズム』です。

世の中のすべては作りものだから、人を殺しても構わない。

僕もそのひとつであり、作り物。周りの人たちは、自分たちの本来の姿が僕であることに気が付いていないだけ。

人はいずれ死ぬ。人の命も蟻やゴキブリと同じじゃないですか？」

「自分の好きな本を五冊あげてください」と鑑定医に尋ねられて、Aは『はてしない物語』（映画『ネバーエンディング・ストーリー』の原作本）、『わが闘争』の上下、『ゲーム理論の思考法』、『推理脳を鍛える本』を挙げていました。

Aの考え方には、私が不用意に買い与えた『わが闘争』の影響もあったのかも知れません。

また、Aは「自分のやりたいことは何をやってもいい」と言い、先生に「でも、だからといって人を殺していいわけがないでしょう」とたしなめられると、「いや、先生の考え方は間違っています。先生の意見より、ボクの言い方の方が正しい」と言い張り、先生に「被害者のご両親はどんなに悲しんでいらっしゃるか、君は考えたことがあるのか？」と聞かれると、Aは「その時にあの場を通りかかった方が悪いんです。（通り魔事件も）その場に居合わせたのが運が悪かった」と、開き直っていました。

何ということでしょう。この子はどこまで残虐、非道なのでしょうか？

見た目は普通の人間であるはずの息子が、ここまでの行為に走り、警察に逮捕されると、「殺人でも何をしてもいい」と開き直りとしか取れない、自分勝手な「思想」めいた言い訳を得意気に口走る。

だから、人を殺しても構わない、と言いたいのでしょうか？

Aが小さい頃、弟をあんまり苛めるので、あの子が転んでケガをした時に「A、痛いやろ。人を殴ったら、その子も同じ痛い思いをするのよ。Aよりもっと痛い思いをしているかもしれへん」とよく言い聞かせたこともありました。

あの子の耳には、まったく入っていなかったのです。

Aは事件当時、家で一緒にいた私のことを次のように話していました。

「(通り魔、淳君の事件が自分の犯行と）家で母親はぜんぜん気が付いていないので、一人で大笑いしていました。まるで気が付いていないのが可笑《おか》しくてというか、可笑しいのか、嬉しいのか、どちらなのか分からないですけれども、笑えました」

Aは、家族みんなが淳君を探している姿が滑稽に見え、特に私をあざ笑い、バカにしていました。Aはやはり、私に反発を持っていたのでしょう。でも、Aにこう言わせたのは、私です。知らない間にあの子を追い詰めていた私の責任だと思います。腹を立てる気力も出ず、背筋が寒くなる思いでした。

「(母親と一緒に通っていた）児童相談所では適当に『学校がしんどい。学校には自分の居場所がない』と話し、自分の本心は言ってはいませんでした。

『猫の解剖に飽きたので、人を殺してみたい』とは打ち明ける気はなかった」

鑑定書の中で、あの子は自分の空想で作りあげた友達を語り、その姿を描いていました。

「エグリちゃん」と名付けた身長四十五センチぐらいの女の子。

その絵は気持ち悪くなるようなグロテスクなものでした。

頭から脳がはみ出て、目玉も飛び出している醜い顔で、エグリちゃんはお腹が空くと自分の腕を食べてしまうそうです。

「ガルボス」という空想上の犬（絵はない）も友達で、「僕が暴力をふるうのは『ガルボス』の凶暴さのせい」と、話していました。

「酒鬼薔薇聖斗は自分の中にいて、彼の存在を心の中で感じられていました。だから、絵は描けません。でも、エグリちゃんは自分の外にいる友達なので、絵にすることができます」

猫殺しについても、こう語っていました。

「小学校五年生頃から最初はナメクジ、蛙、そして猫を殺した。猫はまず、石をぶつけてから殺し、口からナイフを入れ、上あごを突き刺して頭蓋骨まで切り裂き、頭部を真っ二つにし、それから腹を切り裂いて内臓を引っ張り出していました。じっくりと観察してから、その死骸は家の前の土手に捨てていました。そのうち解剖をしている時、勃起している自分に気が付きました。そして射精までしました。僕は異常でした。友達に話すと『お前おかしいのと違うか？』と言われ、落ち込みました。それでも猫を殺すことはやめられませんでした。

殺しているうちに段々、『人を殺してみたい』と思うようになりました。

人間の内臓や脳味噌の中身がどうなっているのかとずっと興味を持っていました」


Ａが中学二年生のとき、部屋の衣類を入れてある引出しに、ＡＶビデオが二、三本隠してあるのを見つけたことがありました。

「友達と家で見るために預かったんや」

Ａは言い訳しましたが、夫はこう注意しました。

「Ａ、家で友達と見るのは絶対にあかんぞ。ビデオを見たいんやったら、父さんと一緒に今から見よう」

「僕が見たい訳やないから、別にええわ」

Ａはそう言いましたが、二人は二階に上がってビデオを見たようでした。

ビデオは、中学か高校の制服を着た女の子が海辺で服を脱ぎ、裸で走っている、という内容のものだったのですが、Ａは関心をあまり示さなかったようでした。

「どうや、お前。女の子好きか？　感じるか？」

「いいや。別に」

Ａは恥ずかしそうにする訳でもなく、表情も変えずにボーッと眺めていたそうです。

私たちは、Aは少し幼いように感じましたが、女の子に関心を持たず、猫や人を殺すことに興味を持っているとは想像もつきませんでした。

鑑定書の中でも先生に「女の子に興味はなかったの？」と聞かれ、Aは「友達は皆持っていましたが、ボクは全然ありませんでした」と答えていました。

Aが女の子に関心が持てなかったのは、私に対する反発も多分にあったのではないかと思います。

でも、猫を殺して性的に興奮するなんて。人の内臓や脳が見たいなんて。

〈Aは……異常。おかしい〉

そんな言葉が、頭の中でグルグル回りました。確かにこの子は、何かが狂っている、壊れている。

しかし、精神鑑定の結果は、「Aは脳波検査、頭部のレントゲン、頭部断層撮影、染色体、ホルモン検査などどこにも異常は見られなかった」と判定されています。

見た目は普通で、どこにも異常がない。正気の状態であるにもかかわらず、Aは平然とあんな恐ろしいことをしでかした上、反省や後悔の念もなく、淡々と犯行状況を話し、勝手な理屈で開き直っていました。

Aは被害者の方々の命を奪うことを「人間の壊れやすさを知るための実験」とノートに書いてみたり、亡くなった方を「僕の作品」と称して語り、命を奪うばかりでなく、その上にさらに酷いことをしている。

それなのに正しいことのように話していました。

「この世は弱肉強食の世界であり、自分が強者なら弱者を殺し、支配することができる。僕は『争う意志』を持っています。他人はこのことをあまり気付いておらず、気が付いている点では僕は勝っていると思います」

あの子の行為で淳君、彩花さんはどんなに苦しみ、辛く痛い思いをなさったのでしょうか？　ご本人たち、ご家族がAの行為により、どんなに悲しみ、苦しまれたのか？　Aは自分の正当性ばかりを主張し、やってしまった行為の責任を負うことなど、とうていできるはずもない、ということになぜ気付かないのでしょうか？

息子には、生きる資格などとうていありません。

もし、逆に私の子供たちがあのような行為で傷つけられ、命を奪われたら、私はその犯人を殺してやりたい。償われるより、死んでくれた方がマシ、と思うはずです。

ささやかで不甲斐ないお詫びをされるよりかは、いっそAや私たちが死んだ方が、せいせいされることでしょう。きっと被害者のご家族は、私たちが存在していること自体、嫌悪されているのではないでしょうか。

いつの日かAを連れて、お詫びに行くなどとんでもなく、虫のいい話かもしれません。

被害者のお宅にAが姿を見せたとすると、ご家族の方々に「死んで償え」と罵倒され、たとえその場で殺されたとしても、当然の報いで仕方がないことだと思います。

でも、その時は私に死なせてください。


「自分のような人間は生まれて来なければよかった。（このような残虐に人を殺す異常な自分に）未来も何もない」

「事件後、怖い夢を見ました。僕の首を誰かが絞めるので、必死でもがきながら相手の顔を見ると僕でした」

「ボクは逮捕されるまで、人を殺したら、必ず死刑になるとずっと思っていました。少年法という法律があり、僕は死刑にならないと接見した弁護士さんから聞いた時、初めて自分が死刑にならないと知りました」

「自分は生まれなければよかった。このまま（鑑別所で）、死にたいです」


では、自分が生んだ息子にこう言われる私は、あの子の何だったのでしょうか？

私は夫のためには死ねませんが、息子のためであれば、死ねます。Aのやったことはあの子を生み、育てた私の責任です。

Aが被害者の方々へお詫びに伺えるようになる日が来るのであれば……。
その頃であれば、下の子供たちも独立し、家を出ていることでしょう。私に未来はもう何もありません。

Aが書いた作文「懲役《ちようえき》13年」も改めて読みました。

懲役13年

1.
いつの世も・・・、同じ事の繰り返しである。
止めようのないものはとめられぬし、
殺せようのないものは殺せない。
時にはそれが、自分の中に住んでいることもある・・・
「魔物」である。
仮定された「脳内宇宙」の理想郷で、無限に暗くそして深い防臭漂う
心の独房の中・・・
死霊の如く立ちつくし、虚空を見つめる魔物の目にはいったい、

〝何〟が見えているのであろうか。

俺には、おおよそ予測することすらままならない。

2. 「理解」に苦しまざるをえないのである。

魔物は、俺の心の中から、外部からの攻撃を訴え、危機感をあおり、あたかも熟練された人形師が、音楽に合わせて人形に踊りをさせているかのように俺を操る。

それには、かつて自分だったモノの鬼神のごとき「絶対零度の狂気」を感じさせるのである。

とうてい、反論こそすれ抵抗などできようはずもない。

こうして俺は追いつめられてゆく。「自分の中」に・・・

しかし、敗北するわけではない。

行き詰まりの打開は方策ではなく、心の改革が根本である。

3. 大多数の人たちは魔物を、心の中と同じように外見も怪物的だと思いがちであるが、事実は全くそれに反している。

通常、現実の魔物は、本当に普通な〝彼〟の兄弟や両親たち以上に普通に見えるし、実際、そのように振る舞う。

彼は、徳そのものが持っている内容以上の徳を持っているかの如く人に思わ

せてしまう・・・
ちょうど、蠟で作ったバラのつぼみや、プラスチックで出来た桃の方が、
実物は不完全な形であったのに、俺たちの目にはより完璧に見え、
バラのつぼみや桃はこういう風でなければならないと
俺たちが思いこんでしまうように。

4.
今まで生きてきた中で、〝敵〟とはほぼ当たり前の存在のように思える。

良き敵、悪い敵、愉快な敵、不愉快な敵、破滅させられそうになった敵。

しかし最近、このような敵はどれもとるに足りぬちっぽけな存在であることに気づいた。

そして一つの「答え」が俺の脳裏を駆けめぐった。

「人生において、最大の敵とは、自分自身なのである。」

5.
魔物（自分）と闘う者は、その過程で自分自身も魔物になることがないよう、気をつけねばならない。
深淵をのぞき込むとき、
その深淵もこちらを見つめているのである。

「人の世の旅路の半ば、ふと気がつくと、
俺は真っ直ぐな道を見失い、

暗い森に迷い込んでいた。」

私は、正直あの子がこんな風に自分の人生について考える一面があるとは全く知らず、作文を読んだときは驚きました。

Aは家では漫画ばかりを読んでいたので、あんな文章が書ける知識はなかったはずでした。

Aは鑑定医に、ダンテの『神曲』やニーチェの『ツァラトゥストラはかく語りき』など、難しい本は読んだことはなく、「懲役13年」は「いろんな物から抜き出して、順番を入れ換えて書いた」と話していました。

家にそんな本があるはずもなく、あの子は見た映画や本屋で興味のあった本を立ち読みし、それらの本を見て「頭にすーっと入ったページを覚えていた」と話していました。

(編注＝A少年が作文に引用した文章が載っていた本は『FBI心理分析官』〔ロバート・K・レスラー／早川書房刊〕『診断名サイコパス』〔ロバート・D・ヘア／早川書房刊〕、映画は『プレデター』など)

Aには、「直観像素質」の力があったことも、事件後初めて知りました。

「俺は追いつめられていく。『自分の中』に・・・」と書いています。

あの子も自分なりに苦しんでいたのでしょう。

でも、だからといって、人を平気で殺せるのか？

Aは神戸の少年鑑別所で、弁護士の先生方にこうも言ったそうです。

「亡くなった人は気の毒。可哀相だから（自分の代わりに）親に慰謝料としてお金を被害者に支払ってほしい」

自分が被害者の方々の命を奪っておいて、他人事のように「気の毒」「可哀相」も何もありません。なんという言いぐさでしょうか。

鑑定医に「少年鑑別所で毎日、何をしているの？」と尋ねられ、Aは「毎日、ボーとしています。何も考えていません」と答えていました。

一体、この子は何を考えているのか？　なぜ、人を殺しながら何も感じないのか？

後で心理カウンセラーの先生に「拘禁状態なので、その影響もあるだろう」と教えられましたが、やはり息子にはそれ以上の不気味な落ち着きがあったように思えます。

あの子は酷い、大それた犯行に及んだにもかかわらず、逮捕されるまで正気に見え普通に振る舞っていました。

精神鑑定の結果、精神や脳に異常はない。

あの子は一体、何者なのでしょうか？

私も夫も親戚縁者に、精神を患った人がいるとは聞いたことがありません。

一体、何に問題があったのでしょうか?

「Aの言葉や行為を、あなたたちは、親としてではなく一人の人間としてどう思われるのか」

いく度となく、私たちにこの質問が投げかけられました。

でも、私はAの親です。人間としてAの行為を裁くことがどうしてもできません。親としてでしか、Aを見ることがどうしてもできません。

Aの行為はやはり、私たち親に責任があります。

「Aは良い祖母、悪い母親に囲まれて幼少期を過ごした」と鑑定書には記されていました。

「僕が毎日、弟を苛めたので、母親に週二、三回は叩かれた。僕が悪いからですが、母は僕を好きではなかった。でも、僕はマザコンだった時期がある。母を必要以上に愛していたというか僕のすべてでした。

父親はやさしい人です。

でも、親といると神経がピリピリして気が引きしまり、おばあちゃんの前では気がゆるんで気楽になれた。おばあちゃんに背負われ、暖かかった記憶があります。

小さい頃の楽しかった記憶は何もありません」


Aが母親である私の愛情に飢え、怖がっていたことは、あの子の口から鑑定人に語られていました。

Aが小さい頃、私はあの子が弟を泣かしているのを見て、「泣いたらやめなさい」とお尻をぶっていました。週二、三回だったかもしれません。

Aは、私がAを嫌っているから、叱ったと思っていたようでした。

私の母、Aにとっておばあちゃんは、Aをよくおんぶしていました。

母は腕の力が弱っていたので、いつも背負っていたと思います。

私は肩凝り性だったので、Aをおんぶした記憶はあまりありませんでした。

あの子が温もりを感じたのは、おばあちゃんの背中だけ。

私たちはAが中学二年生頃まで夏には、一家でよく湊川にあったプールや須磨の海におにぎりを持って泳ぎに出掛けました。私は荷物番。Aは下の弟たちと一緒に泳ぎに出掛け、潜ったり、貝を拾って私に見せにきたりしていました。

あの笑顔はすべて作り物で、本心ではなかったのでしょうか？

私が厳しく叱った記憶しかAには残らず、追い詰めたのでしょうか?

Aは警察署や神戸少年鑑別所で、いろんな絵を描いていたようです。

鑑定書の中に「淳君の絵は清らかで聖なるものとして描いてあった」と記されていました。それなのにAはなぜ、淳君の命を奪ってしまったのでしょうか?

Aが家裁で描いた家族画が何枚かあるそうです。その絵というのは、一家の団欒《だんらん》風景を描くようにと言われて描いたものだそうですが、なぜかテレビを囲んで五人の首だけが並んでいるというものとか、布団が敷いてあって、家族五人の首から上だけが出ているといった、奇妙な絵ばかりだったそうです。

「家族においては深い相互作用の欠如とジェンダー(性)の未分化性が深層において支配的だった」

深い意味は分かりませんが、要は家族に本当の意味での絆《きずな》が薄かった、と指摘されているのかと思います。

私たち親は未熟で、Aと確かな絆が結べず、理解してやることができなかった。

だから、Aは神戸の鑑別所で、私たちを憎いと言わんばかりに睨みつけたのでしょうか?

Aは小さい頃に、怖い夢を見たと言って泣くことがありました。

その夢とは、どんなものだったのでしょうか？

Aはいつしか、幻想や空想と現実の区別がつかなくなっていった。

そして結局、私は母親としてあの子に何もしてやれなかった。

これから何をしてやれるのでしょうか？


去年夏、Aが事件前から飼っていた亀が死にました。その亀の名前は「ガバメント」だったと思います。Aはガバメントの世話だけは甲斐甲斐しく焼いていました。手紙でガバメントの死を知らせましたが、Aは何も言ってはきませんでした。友が丘にいたとき、庭の水槽の中にはAが飼っていたいちばん大きい亀ガバメントと、弟たちが飼っていた亀がそれぞれ二匹ずついました。

ガバメントが死んで、水槽に残っている亀は四匹。事件後も、弟たちは水を入れた水槽と土を入れた水槽に交互に亀を入れ換えて、せっせと世話をし続けてきました。

その亀たちは今、家の水槽の中で土に潜って静かに冬眠しています。

「もし生まれ変われるのなら、亀になりたい。そうすれば、他者を傷付けずに済む」

Aが神戸の少年鑑別所で、そんな内容の作文を書いていたと知りました。

Aが長い長い冬眠から覚めて、私たちの許へ帰り、被害者の方々に心から償いをできる、そんな日はいつやって来るのでしょうか。

いえ、Aは何としても償わねばなりません、私たちと一緒に。

被害者の方々のご冥福を心よりお祈りしつつ、愚かな息子と私たち自身の無力さを呪い、羞《は》じ、悩みながら……。

土の中で冬眠する亀を眺め、待ち暮らしている日々です。

読者の皆様へ——文庫版に寄せて

一九九九年四月に私どもの手記を発表させていただきまして以来、たくさんの方に読んでいただきましたこと、厚く御礼申しあげます。

文藝春秋に寄せられました皆様からのあたたかい励ましのお手紙、厳しいお言葉のお手紙もすべて読ませていただきました。本当にありがとうございました。心より深く感謝申し上げます。本の印税等はすべて被害者の方々への償いとさせていただいておりま す。

たとえ、どんなに月日が過ぎようとも、息子Aによって奪われた土師淳君、山下彩花さんの命がもどる日は永遠に来るわけではなく、ご遺族の方には申し訳ないという気持ちで今でもなお、お詫びの言葉もございません。ただただ、申し訳ございませんでした。

心よりごめい福をお祈りしております。そして、お怪我をなさったお嬢様方の心が一日も早く回復されることを心よりお祈りしております。

二〇〇一年　初夏

「少年A」の父母

●構成——森下香枝（ジャーナリスト）

単行本　一九九九年四月　文藝春秋刊

文春文庫

「少年《しようねん》A」この子《こ》を生《う》んで……
父《ちち》と母《はは》 悔恨《かいこん》の手記《しゆき》

定価はカバーに表示してあります

2001年7月10日　第1刷
2022年11月15日　第32刷

著　者　「少年《しようねん》A」の父母《ふぼ》
発行者　大沼貴之
発行所　株式会社 文藝春秋

東京都千代田区紀尾井町 3-23　〒102-8008
TEL 03・3265・1211㈹
文藝春秋ホームページ　http://www.bunshun.co.jp

落丁、乱丁本は、お手数ですが小社製作部宛お送り下さい。送料小社負担でお取替致します。

印刷・凸版印刷　製本・加藤製本
Printed in Japan
ISBN978-4-16-765609-6

（　）内は解説者。品切の節はご容赦下さい。

阿川佐和子
強父論
94歳で大往生、破天荒な父がアガワを泣かした34の言葉。故人をまったく讃えない前代未聞の追悼に爆笑するうち、なぜか胸が熱くなる。ベストセラー『看る力』の内幕です。（倉本　聰）
あ-23-25

青木新門
納棺夫日記 増補改訂版
〈納棺夫〉とは、永らく冠婚葬祭会社で死者を棺に納める仕事に従事した著者の造語である。「生」と「死」を静かに語る、読み継がれるべき刮目の書。（序文／吉村　昭・解説／高　史明）
あ-28-1

秋元良平　写真・石黒謙吾　文
盲導犬クイールの一生
盲導犬クイールの生まれた瞬間から温かな夫婦のもとで息を引き取るまでをモノクロームの優しい写真と文章で綴った感動の記録。映画化、ドラマ化もされ大反響を呼んだ。（多和田　悟）
あ-69-1

相澤冬樹
メディアの闇
「安倍官邸VS.ＮＨＫ」森友取材全真相
森友事件のスクープ記者はなぜＮＨＫを退職したのか。官邸からの圧力、歪められる報道。自殺した近畿財務局職員の手記公開へとつながった実録。文庫化にあたり大幅加筆。（田村秀男）
あ-86-1

石井妙子
日本の血脈
『文藝春秋』連載時から大きな反響を呼んだノンフィクション。政財界、芸能界、皇室など、注目の人士の家系をたどり、末裔ですら知りえなかった過去を掘り起こす。文庫オリジナル版。
い-88-1

生島　淳
奇跡のチーム
ラグビー日本代表、南アフリカに勝つ
二〇一五年九月、日本ラグビーの歴史を変えたＷ杯南アフリカ戦勝利に至る、エディー・ジョーンズＨＣと日本代表チームの闘いの全記録。『エディー・ウォーズ』を改題。（畠山健介）
い-98-2

植村直己
極北に駆ける
南極大陸横断をめざす植村直己。極地訓練のために過ごした地球最北端に住むイヌイットとの一年間の生活、彼らとの友情、そして大氷原三〇〇〇キロ単独犬ぞり走破の記録！（大島育雄）
う-1-7

（　）内は解説者。品切の節はご容赦下さい。

上野正彦
死体は語る
もの言わぬ死体は、決して嘘を言わない――。変死体を扱って三十余年の元監察医が綴る、数々のミステリアスな事件の真相。ドラマ化もされた法医学入門の大ベストセラー。　（夏樹静子）
う-12-1

上野正彦
死体は語る2
上野博士の法医学ノート
「砂を吸い込んだ溺死体」は何がおかしい？　首吊り自殺と見せかけた他殺方法とは？　二万体を超す検死実績を持つ監察医が導き出した、死者の声無き声を聴く「上野法医学」決定版。
う-12-2

上原善広
日本の路地を旅する
中上健次はそこを「路地」と呼んだ。自身の出身地から中上健次の故郷まで日本全国五百以上の被差別部落を訪ね歩いた十三年間の記録。大宅壮一ノンフィクション賞受賞。　（西村賢太）
う-29-1

内田洋子
モンテレッジォ　小さな村の旅する本屋の物語
何世紀にも亘りその村の人達は本を籠一杯担ぎ、国中を売って歩く行商で生計を立ててきた――本を読むことと売ることの原点を思い出させてくれると絶賛された、奇跡のノンフィクション。
う-30-3

上橋菜穂子・津田篤太郎
ほの暗い永久《とわ》から出でて
生と死を巡る対話
母の肺癌判明を機に出会った世界的物語作家と聖路加国際病院の気鋭の医師が、文学から医学の未来まで語り合う往復書簡。未曾有のコロナ禍という難局に向き合う思いを綴る新章増補版。
う-38-1

江藤　淳
閉された言語空間
占領軍の検閲と戦後日本
アメリカは日本の検閲をいかに準備し実行したか。眼に見える戦争は終ったが、アメリカの眼に見えない戦争、日本の思想と文化の殲滅戦が始った。一次史料による秘匿された検閲の全貌。
え-2-8

榎本まみ
督促ＯＬ　修行日記
日本一ツライ職場・督促コールセンターに勤める新卒の気弱なＯＬが、トホホな毎日を送りながらも、独自に編み出したノウハウで年間二千億円の債権を回収するまでの実録。　（佐藤　優）
え-14-1

（　）内は解説者。品切の節はご容赦下さい。

榎本まみ
督促ＯＬ　奮闘日記
ちょっとためになるお金の話
督促ＯＬという日本一辛い仕事をバネにし人間力・仕事力を磨くべく奮闘する著者が、借金についての基本的なノウハウを伝授。お役立ち情報、業界裏話的爆笑4コマ満載！（横山光昭）
え-14-2

奥野修司
ナツコ　沖縄密貿易の女王
米軍占領下の沖縄は、密貿易と闇商売が横行する不思議な自由を謳歌していた。そこに君臨した謎の女性、ナツコ。誰もがナツコに憧れていた。大宅賞に輝く力作。（与那原　恵）
お-28-2

奥野修司
心にナイフをしのばせて
息子を同級生に殺害された家族は地獄の苦しみの人生を過ごしていた。しかし、医療少年院を出て、「更生」した犯人の少年は弁護士となって世の中で活躍。被害者へ補償もせずに。（大澤孝征）
お-28-3

沖浦和光《かずてる》
幻の漂泊民・サンカ
近代文明社会に背をむけ〈管理〉〈所有〉〈定住〉とは無縁の「山の民・サンカ」はいかに発生し、日本史の地底に消えていったか。積年の虚構を解体し実像に迫る白熱の民俗誌！（佐藤健二）
お-34-1

小川三夫・塩野米松　聞き書き
棟梁
技を伝え、人を育てる
法隆寺最後の宮大工の後を継ぎ、共同生活と徒弟制度で多くの弟子を育て上げてきた鵤《いかるが》工舎の小川三夫棟梁。後世に語り伝える技と心。数々の金言と共に、全てを語り尽くした一冊。
お-55-1

小野一光
新版　家族喰い
尼崎連続変死事件の真相
63歳の女が、養子、内縁、監禁でファミリーを縛り上げ、死者11人となった尼崎連続変死事件。その全貌を描く傑作ノンフィクション！　新章「その後の『家族喰い』」収録。（永瀬隼介）
お-71-1

小野一光
連続殺人犯
人は人を何故殺すのか？　面会室で、現場で、凶悪殺人犯10人に問い続けた衝撃作。『家族喰い』角田美代子ファミリーのその後、〝後妻業〟筧千佐子との面会など大幅増補。（重松　清）
お-71-2

（　）内は解説者。品切の節はご容赦下さい。

大竹昭子
須賀敦子の旅路
ミラノ・ヴェネツィア・ローマ、そして東京
旅するように生きた須賀敦子の足跡を生前親交の深かった著者がたどり、その作品の核心に迫る。そして、初めて解き明かされる作家・須賀敦子を育んだ「空白の20年」。（福岡伸一）
お-74-1

大杉　漣
現場者《げんばもん》
300の顔をもつ男
若き日に全てをかけた劇団・転形劇場の解散から、ピンク映画で初めて知った映像の世界、北野武監督との出会いまで――。現場で生ききった唯一無二の俳優の軌跡がここに。（大杉弘美）
お-75-1

小田貴月《たか》
高倉健、その愛。
孤高の映画俳優・高倉健が最後に愛した女性であり、養女でもある著者が、二人で過ごした最後の17年の日々を綴った手記。出逢いから撮影秘話まで……初めて明かされる素顔とは。
お-79-1

角幡唯介
極夜行
太陽の昇らない冬の北極を旅するという未知の冒険。極寒の闇の中でおきたことはすべてが想定外だった。犬一匹と橇を引き、4カ月ぶりに太陽を見たとき、何を感じたのか。（山極壽一）
か-67-3

梯　久美子
愛の顚末《てんまつ》
恋と死と文学と
三角関係、ストーカー、死の床の愛、夫婦の葛藤――小林多喜二、近松秋江、三浦綾子、中島敦、原民喜、中城ふみ子、寺田寅彦など、激しすぎる十二人の作家を深掘りする。（永田和宏）
か-68-2

春日太一
あかんやつら
東映京都撮影所血風録
型破りな錦之助の時代劇から、警察もヤクザも巻き込んだ『仁義なき戦い』撮影まで。熱き映画馬鹿たちを活写し、東映の伝説秘話を取材したノンフィクション。（水道橋博士）
か-71-1

春日太一
仲代達矢が語る日本映画黄金時代
完全版
80歳を超えてなお活躍する役者・仲代達矢。岡本喜八、黒澤明ら名監督との出会いから夏目雅子、勝新太郎ら伝説の俳優との仕事、現在の映画界に至るまで語り尽くした濃密な一冊。
か-71-3

（　）内は解説者。品切の節はご容赦下さい。

川村元気
仕事。
山田洋次、沢木耕太郎、杉本博司、倉本聰、秋元康、宮崎駿、糸井重里、篠山紀信、谷川俊太郎、鈴木敏夫、横尾忠則、坂本龍一――12人の巨匠に学ぶ、仕事で人生を面白くする力。
か-75-2

川村元気
理系。
世界を救うのは理系だ。川村元気が最先端の理系人15人と語った未来のサバイブ術！　これから、世界は、人間は、どう変わるのか？　危機の先にある、大きなチャンスをどう摑むのか？
か-75-4

海部陽介
日本人はどこから来たのか？
遠く長い旅の末、人類は海を渡って日本列島にやって来た。徹底的な遺跡データ収集とDNA解析、そして古代の丸木舟を再現した航海実験から、明らかになる日本人の足跡、最新研究。
か-77-1

河合香織
選べなかった命
出生前診断の誤診で生まれた子
その女性は出生前診断で「異常なし」と診断されて子供を産んだが、実は誤診でダウン症児だと告げられる。三カ月半後、乳児は亡くなった。女性は医師を提訴するが――。（梯　久美子）
か-83-1

木村盛武
慟哭の谷
北海道三毛別・史上最悪のヒグマ襲撃事件
大正四年、北海道苫前村の開拓地に突如現れた巨大なヒグマは次々と住民たちを襲う。生存者による貴重な証言で史上最悪の獣害事件の全貌を描く戦慄のノンフィクション！（増田俊也）
き-40-1

清原和博
清原和博 告白
栄光と転落。薬物依存、鬱病との闘いの日々。怪物の名をほしいままにした甲子園の英雄はなぜ覚醒剤という悪魔の手に堕ちたのか。執行猶予中1年間に亘り全てを明かした魂の「告白」。
き-48-1

倉嶋　厚
やまない雨はない
妻の死、うつ病、それから…
伴侶の死に生きる気力をなくした私は、マンションの屋上から飛び下り自殺をはかった……。精神科に入院、ようやく回復するまでの嵐の日々を、元NHKお天気キャスターが率直に綴る。
く-23-1

（　）内は解説者。品切の節はご容赦下さい。

草薙厚子
少年A　矯正2500日全記録
神戸児童連続殺傷事件から七年、「少年A」がついに仮退院した。医療少年院で行われた極秘の贖罪教育・矯正教育について初めて明かす「少年A更生プロジェクト」の全容。（有田芳生）
く-26-1

児玉　博
堤清二　罪と業
最後の「告白」
セゾングループ総帥だった堤清二が人生の最晩年に語った言葉は、堤家崩壊の歴史であると同時に、家族への怨念と執着と愛の物語であった。小川洋子氏激賞の大宅賞受賞作。（糸井重里）
こ-46-1

沢木耕太郎
テロルの決算
十七歳のテロリストは舞台へ駆け上がり、冷たい刃を老政治家にむけた。大宅壮一ノンフィクション賞受賞の傑作を、初版から三十年後、終止符とも言える「あとがき」を加え新装刊行。
さ-2-14

沢木耕太郎
敗れざる者たち
クレイになれなかった男・消えた三塁手・自ら命を断ったマラソンの星――勝負の世界に青春を賭け、燃え尽きていった者たちを描く、スポーツノンフィクションの金字塔。（北野新太）
さ-2-21

佐々淳行
平時の指揮官　有事の指揮官
あなたは部下に見られている
バブル崩壊以後、国の内外に難問を抱え混乱がいまだ続く日本の状態はまさに〝有事〟である。本書は平和ボケした経営者や管理職に向け、有事における危機対処法を平易に著わした。
さ-22-6

佐々淳行
私を通りすぎた政治家たち
吉田茂、岸信介、田中角栄、小泉純一郎、小沢一郎、不破哲三、そして安倍晋三。左右を問わず切り捨て御免、初公開の「佐々メモ」による恐怖の政治家閻魔帳。（石井英夫）
さ-22-19

佐々淳行
亡国スパイ秘録
日本の危機管理を創った著者がゾルゲ事件から瀬島龍三まで「佐々メモ」をもとに語るスパイ捜査秘録。各国のハニートラップ術や自身が受けたFBIでの諜報訓練も明かす。（伊藤　隆）
さ-22-21

（　）内は解説者。品切の節はご容赦下さい。

坂本敏夫
元刑務官が明かす　死刑のすべて
起案書に三十以上もの印鑑が押され、最後に法務大臣が執行命令をくだす日本の死刑制度。死刑囚の素顔や日常生活、執行の瞬間……全てを見てきた著者だからこそ語れる、死刑の真実！
さ-44-1

佐々木健一
辞書になった男　ケンボー先生と山田先生
一冊の辞書を共に作っていた二人の男、見坊豪紀と山田忠雄はやがて決別、二冊の国民的辞書が生まれた。「三国」と「新明解」に秘められた衝撃の真相。日本エッセイスト・クラブ賞受賞。
さ-69-1

佐々木健一
Mr.トルネード　藤田哲也 航空事故を激減させた男
1975年NYで起きた航空機墜落事故。誰も解明できなかった事故原因を突き止めたのが天才科学者・藤田哲也。敗戦からアメリカへわたった彼の数奇な運命とは？（元村有希子）
さ-69-2

「少年A」の父母
「少年A」この子を生んで……　父と母 悔恨の手記
十四歳の息子が、神戸連続児童殺傷事件の犯人「少年A」だったとは！　十四年にわたるAとの暮し、事件前後の家族の姿、心情を、両親が悔恨の涙とともに綴った衝撃のベストセラー。
し-37-1

清水　潔
「南京事件」を調査せよ
戦後70周年企画として調査報道のプロに下された指令は、77年前の「事件」取材？　いつしか「戦中の日本」と現在がリンクし始めた。伝説の事件記者が挑む新境地。（池上　彰）
し-64-1

新保信長
字が汚い！
自分の字の汚さに今更ながら愕然とした著者が古今東西の悪筆を調べまくった世界初、ヘタ字をめぐる右往左往ルポ！　果たして、50年以上ヘタだった字は上手くなるのか？（北尾トロ）
し-68-1

鈴木智彦
ヤクザと原発　福島第一潜入記
暴力団専門ライターが、福島第一原発にジャーナリストでは初めて作業員として潜入。高濃度汚染区域という修羅場を密着レポートし、原発利権で暴利をむさぼるヤクザの実態も明かす。
す-19-1

（　）内は解説者。品切の節はご容赦下さい。

須田桃子
捏造の科学者
STAP細胞事件
誰が、何を、いつ、なぜ、どのように捏造したのか？　歴史に残る研究不正事件をスクープ記者が追う。大宅賞受賞作に新章を追加した「完全版」。大幅増補で真相に迫る。（緑　慎也）
す-24-1

須田桃子
合成生物学の衝撃
生命の設計図ゲノムを自在に改変し、人工生命体を作り出す――ノーベル化学賞受賞のゲノム編集技術や新型コロナワクチン開発、軍事転用。最先端科学の光と影に迫る。（伊与原　新）
す-24-2

鈴木忠平
清原和博への告白
甲子園13本塁打の真実
清原和博、甲子園での十三本塁打。あの怪物との勝負は、打たれた投手たちに鮮烈な記憶を残し、後の人生をも左右した。三十年の時を経てライバルたちが語るあの時。（中村順司）
す-25-1

瀬戸内寂聴
源氏物語の女君たち
紫式部がいちばん気合を入れて書いたヒロインはだれ？　物語に登場する魅惑の女君たちを、ストーリーを追いながら徹底解説。寂聴流、世界一わかりやすくて面白い源氏物語の入門書。
せ-1-22

高木俊朗
インパール
太平洋戦争で最も無謀だったインパール作戦の実相とは。徒に死んでいった人間の無念。本書が、敗戦後、部下に責任転嫁、事実を歪曲した軍司令官・牟田口廉也批判の口火を切った。
た-2-11

高木俊朗
抗命
インパール2
コヒマ攻略を命じられた烈第三十一師団長・佐藤幸徳中将は、将兵の生命こそ至上であるとして、軍上層部の無謀な命令に従わず、師団長を解任される。「インパール」第二弾。
た-2-12

高木俊朗
全滅・憤死
インパール3
インパール盆地の湿地帯に投入された戦車支隊の悲劇を描く「全滅」。〝祭〟第十五師団長と参謀長の痛憤を描く「憤死」。戦記文学の名著、新装版刊行にあたり、二作を一冊に。
た-2-13

（　）内は解説者。品切の節はご容赦下さい。

立花 隆
臨死体験（上下）
まばゆい光、暗いトンネル、そして亡き人々との再会――人が死に臨んで見るという光景は、本当に「死後の世界」なのか、それとも幻か。人類最大の謎に挑み、話題を呼んだ渾身の大著。
た-5-9

田宮俊作
伝説のプラモ屋　田宮模型をつくった人々
自他共に許す世界最大のプラモデルメーカーの社長が語る、とっておきのプラモデル開発秘話。CIAからカルロス・ゴーンまで、タミヤを取り巻く人々はキットに負けず劣らず個性的。
た-45-2

竹本住大夫
人間、やっぱり情でんなぁ
「死ぬまで稽古、死んでも稽古せなあきまへんなぁ」。人形浄瑠璃「文楽」の大夫として、日本人の義理人情を語りつづけて68年。平成30年に逝去した〝文楽の鬼〟の最後の言葉は。
た-70-2

田部井淳子
それでもわたしは山に登る
世界初の女性エベレスト登頂から40年。がんで余命宣告を受け治療を続けながらも常に前を向き、しびれる足で大好きな山に登りつづけた――惜しまれつつ急逝した登山家渾身の手記。
た-97-1

友納尚子
皇后雅子さま物語
令和の皇后となられた雅子さま。ご成婚時の輝くような笑顔はなぜ失われたのか。お世継ぎ問題と適応障害の真相は。痛みを知るからこそ強く歩まれる、その半生を徹底取材した決定版。
と-22-2

中野京子
名画の謎　ギリシャ神話篇
古典絵画はエンターテインメント！「名画の謎」シリーズ、文庫化の第一弾は、西洋絵画鑑賞には避けて通れない「ギリシャ神話」がテーマ。絵の中の神々の物語を読み解きます。（森村泰昌）
な-58-3

中野京子
名画の謎　旧約・新約聖書篇
矛盾があるからこそ名画は面白い！「創世記」からイエスの生涯、『最後の審判』などのキリスト教絵画を平易かつ魅力的に解説。驚きと教養に満ちたシリーズ第二弾。（野口悠紀雄）
な-58-4

（　）内は解説者。品切の節はご容赦下さい。

野口美惠
羽生結弦 王者のメソッド
日本男子フィギュア初の五輪金メダル、世界記録更新――「僕はレジェンドになりたい」という少年が〝絶対王者〟に至るまでの軌跡、更なる高みに挑む姿を、本人の肉声とともに描く。
の-22-1

秦 新二・成田睦子
フェルメール最後の真実
世界に37点しかないフェルメール作品。それを動かすのは「フェルメール・マン」と呼ばれる国際シンジケートの男たち。美術展の裏側をリアルに描くドキュメント。全作品カラーで掲載。
は-15-2

畠山重篤
森は海の恋人
ダム開発と森林破壊で沿岸の海の荒廃が急速に進んだ一九八〇年代、おいしい牡蠣を育てるために一人の漁民が山に木を植え始めた。森と海の真のつながりを知る感動の書。（川勝平太）
は-24-2

原 武史
松本清張の「遺言」
『昭和史発掘』『神々の乱心』を読み解く
厖大な未発表資料と綿密な取材を基に、昭和初期の埋もれた事実に光を当てた代表作『昭和史発掘』と、宮中と新興宗教に斬り込む未完の遺作『神々の乱心』を読み解く。
は-53-1

船橋洋一
カウントダウン・メルトダウン（上下）
未曾有の原発事故が起きたとき、政府や東電、そして米軍はどう動いたのか？　3・11から始まった「世界を震撼させた20日間」の時々刻々を描いた労作。第44回大宅賞受賞作。（保阪正康）
ふ-42-1

船曳由美
一〇〇年前の女の子
明治の終わりに栃木県の小さな村に生れた寺崎テイ。生後一カ月で実母と引き離され、百年を母恋いと故郷への想いで生きた――。鮮やかなテイの記憶が綴る日本の原風景。（中島京子）
ふ-43-1

藤吉雅春
福井モデル
未来は地方から始まる
地方消滅時代を迎えた日本で、福井県はなぜ、幸福度も世帯収入も高いのか。共働き率と出生率が全国平均を上回る理由を、高い教育力に見出した画期的ルポ。（佐々木俊尚）
ふ-44-1